Jouer avec
les poètes

Jacques Charpentreau

L'œuvre de Jacques Charpentreau compte une vingtaine de recueils de poèmes, des contes et des nouvelles, des dictionnaires et des essais... Président de la Maison de la Poésie, il s'est employé sans relâche à défendre la poésie contemporaine auprès des jeunes lecteurs. Jacques Charpentreau est mort en 2016.

Du même auteur :

- Les plus beaux poèmes d'hier et d'aujourd'hui
- Un petit bouquet de poèmes
- Demain dès l'aube
- Trésor de la poésie française

Jouer avec les poètes

**200 poèmes-jeux inédits
de 65 poètes contemporains
réunis par
Jacques Charpentreau**

Jouer avec les poètes

Il est facile de jouer avec les poètes : il suffit de regarder ce qu'ils font avec les mots, comment ils les choisissent, les assemblent, les attachent les uns aux autres, et de faire comme eux.

Car un poème, c'est un assemblage de mots bien choisis.

Tout comme on peut jouer avec un ballon, avec une poupée, avec un train miniature, avec un jeu électronique – on peut jouer avec les mots. Et c'est bien commode, car les mots appartiennent à tout le monde, à vous comme à moi, et il y en a plein les dictionnaires.

Mais il ne suffit pas de les recopier en désordre : tous les jeux sérieux ont des règles ; la poésie aussi.

Dans ce livre, soixante-cinq poètes d'aujourd'hui ont décidé de vous montrer comment ils jouaient avec les mots. Un peu comme si un magicien vous expliquait ses trucs.

Évidemment, la vraie poésie est un art, et les trucs ne suffisent pas. Les gourmands (dont je suis, et j'espère bien que vous en êtes aussi) savent bien que pour faire un bon gâteau il ne suffit pas de bien suivre la recette pour que le convive se régale. Il faut un petit quelque chose d'autre dans le dosage, dans la préparation, dans la cuisson. Du doigté. Du goût. Avec la même recette, certains gâteaux sont meilleurs que d'autres.

C'est vrai, un poème s'écrit avec des mots bien combinés. Mais on aime y entendre autre chose qu'une suite de mots : un cœur qui bat par exemple, le souffle d'un ami, le murmure d'une voix. Une âme.

La poésie nous séduit vraiment quand elle exprime des sentiments et qu'elle arrive à émouvoir les lecteurs avec l'émotion de l'écrivain, celle qu'on entend chanter (ou pleurer) à travers ses mots, des mots qui deviennent alors les nôtres.

Comment jouer avec les poètes ?

Les poèmes de ce livre sont de vrais poèmes, c'est-à-dire qu'on prend plaisir à les lire, à les relire, à les écouter vivre en nous.

Mais chacun de ces poèmes renferme un petit secret de fabrication. Parfois, on peut le découvrir tout seul, et savoir tout de suite comment ça marche. Mais, parfois, ce secret est bien caché. Alors, quand on a donné sa langue au chat, on a besoin d'aller chercher l'explication. On la découvrira à la fin du livre, où on trouvera quelque chose comme le mode d'emploi d'une soixantaine de jeux poétiques, à partir de la page 235.

Chaque poème est suivi d'un numéro. Ce numéro est celui d'un jeu dont on explique les règles. Elles sont souvent très simples. Et le poème montre lui-même comment faire.

Après ? Après, on prend une feuille, un stylo ou un crayon, et on essaye de jouer à son tour, en espérant rencontrer en chemin cette mystérieuse « inspiration » qui transforme un habile assemblage de mots en un vrai poème qui chante et s'envole pour notre plaisir.

Jacques CHARPENTREAU

La fleur

Frileux et tendre encore en ce jeune printemps
Le jardin du matin te sourit. Il t'attend.
Écoute les oiseaux. Pour toi chantent les merles.
Une rosée légère a déposé des perles
Rondes, brillantes, comme un semis de diamants,
Sur ce monde nouveau, on ne sait pas comment.

D'autres chants plus subtils vont charmer tes oreilles.
En secret vont s'éclore avec toi les merveilles.
Ne les entends-tu pas ? Magie aux sept couleurs !
Ce charme est né pour toi des oiseaux et des fleurs.
Retrouve en ce jardin les voix de ceux qui t'aiment,
Et la fleur d'encre s'ouvre au souffle du poème.

Jacques CHARPENTREAU

2, 45 (Les chiffres renvoient aux secrets de fabrication numérotés du chapitre
Comment jouer avec les poètes ? page 223).

DE DRÔLES DE BÊTES

Le lapin

L'œil ombré de longs cils courbés,
Le pelage roux, le nez rose,
Encore très petite chose
Et l'air innocent des bébés :

C'était un lapin de garenne
Qui goûtait la fraîcheur du vent,
Faisant toilette librement,
Et marchant, comme on se promène.

Claire DE LA SOUJEOLE

Bestiaire

Longues oreilles
Avec de grandes dents
Petit nez qui remue
Il mange carottes et pain dur
N'avez-vous pas trouvé ?

*

Pas un son ne sort de sa bouche
Oh, non,
Il fait des bulles
Sans poils ni plumes
Sans pattes non plus
Œil rond
N'est-ce pas qu'il brille ?

Violette BORDON

2

Un éléphant

Un éléphant sur l'autoroute
On en doute, on en doute
Un éléphant dans un pré
Il faut voir cela de plus près...
C'est toi qui iras !

Ronron et Canigou
N'ont pas le même goût
Je préfère pour mon foie
Les rillettes d'oie
Mais elles seront pour toi !
Un deux trois...

Œil de Lynx
Œil de Chat
Œil de Bœuf
Je n'en ai pas.
Qui veut mon œil de Perdrix ?
Ce sera toi !

Claire DE LA SOUJEOLE

L'orchestre

Dans l'orchestre des fanfarons
Le cochon
joue du violon
Le hérisson
joue du clairon
Le mouton
joue du basson
Le dindon
joue de l'accordéon

Et celui qui joue du cornet à pistons ?
C'est l'éléphon...

Luce GUILBAUD

30, 34

Animaux gonflables

Si la petite fourmi
Grandit
Grandit
Grandit

Grandit

Deviendra-t-elle

Un crocodile Odile

Et si l'éléphant

Rapetisse

Rapetisse

Rapetisse

Rapetisse
Deviendra-t-il
Une souris Valérie
Ou un p'tit rat Sarah

Claude HALLER

Pied au ventre

La voilà qui se traîne
inutile et muette
molle et lente
allant pied au ventre
comme son cousin
et sans domicile fixe.

Luce GUILBAUD

Animal en valise

Tout lisse mais poilu,
Il rampe sur le ventre
Avec ses quatre mains.
Il dort dans sa coquille
En beurre de Bourgogne
En prenant pour trapèze
Les forêts du Congo.
Devine-le : qui est-ce ?

L'escargoville

Robert VIGNEAU

37

Colimaçon

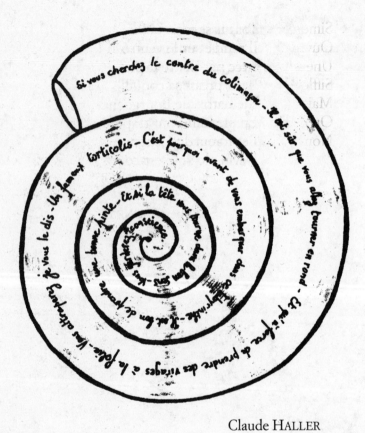

Si vous cherchez le centre du colimaçon - il est sûr que vous allez tourner en rond - Et que je fais de prendre des virages à la folie - Vous attrapez je vous le dis - Un jour un torticolis - C'est pourquoi avant de vous embarquer dans l'étourdie - Il est bon de prendre une bonne suite - Et si la tête vous tourne trop - fermez donc vos grands yeux fragiles

Claude HALLER

Où est la souris ?

Simon le chat dans son hamac
Ouvre un œil rond et pousse un Oh !
Une souris passe par là,
Sifflotant, sans se presser trop.
Mais à rêver de barbecue
On risque de rester baba.
Nom d'un chat ! Souris, où es-tu ?

Robert KEMPENERS

2

Anti-comptine de la souris

La souris verte dans l'herbette
La souris noire dans l'armoire
La souris bleue au coin du feu
La souris rouge au fond du bouge
La souris grise dans l'église

Toutes ces souris ont mordu ces Messieurs

Elles en avaient assez
D'être prises par la queue
Et d'être la risée des enfants et des vieux

Elles se mirent à crier :

On n'est pas des escargots tout chauds !
On n'est pas des escargots tout chauds !

Nous voulons du blé !
Nous voulons du blé !
Nous voulons du blé !

Jean-Louis LE DIZET

15

Le rébus des souris

$$\frac{ricettes}{Les}$$ $$\frac{riceaux}{les}$$

(dansent) $$\frac{fflés}{tout \ es}$$

$$\frac{cis}{sans}$$, $$\frac{bien \ en}{été}$$:

$$\frac{terrain}{Le}$$ $$\frac{est}{veillé}$$.

s'entend un bruit :

$$\frac{dain}{Le \ chat}$$ 7 et veillé !

Noël PRÉVOST

51

L'écureuil

L'écureuil aime les noisettes,
Il en conserve pour l'hiver
Avec des noix, dans ses cachettes.
On l'aperçoit comme un éclair,

Se faufilant de branche en branche,
Et puis tournant autour du tronc,
Mais quand du sommet il se penche
Pourquoi nous surveille-t-il donc ?

Claire DE LA SOUJEOLE

10

Comptine du chien qui joue

Le chien court après sa queue
il aboie il est heureux.

Elle se sauve comme un fouet
il ne la rattrape jamais.

Le chien court après sa queue
il aboie il est furieux.

Il change de sens sans espoir
car il est toujours trop tard.

Le chien court après sa queue
il grogne il est malheureux.

Il se couche tout essoufflé
sa queue se pose sur son nez.

Le chien se lèche la queue
il sourit il est heureux.

Michel MONNEREAU

15

Chien et chat

Un chat de gouttières est tombé d'un toit
surpris d'y rencontrer un chien-assis,
pendant que sur son sort on s'apitoie
paisible il s'endort en chien de fusil.

Chacun vilipende ce chat-huant
qui dort au lieu de chasser les souris,
nul matou n'échappe au verdict jouant
du fait que la nuit tous les chats sont gris.

Pressé d'ajouter ma voix au concert
lui ôtant toute chance de rachat
je reste muet, cela me dessert,
mais j'aime mieux donner ma langue au chat.

Claude KŒNIG

Petite comptine à lire d'un seul souffle à la vitesse de la patte d'un chien quand il se gratte derrière l'oreille

Si tu as des tas,
des tas de poux,
si tu as, toutou,
des tas de puces,
j'ai une astuce :
dans un cactus,
pique tes puces
et dans un houx,
pique tes poux.

Carl NORAC

15

Le serpent

Ô le serpent gris
au seuil de la cuisine,
il me glace.

Il lève la tête,
me regarde en face,
il esquisse une reptation
et s'apprête à bondir.

Le chat se bronze à proximité
et je cherche à le prévenir
du danger qui nous menace.
Il se retourne avec calme
et je constate alors que le serpent
est sa queue en mouvement.

Gérard LE GOUIC

10

Question de chat

J'emprunte le mot CHAT
et je le carabosse
pour en faire un CHAMEAU,
lequel près d'un LAC d'EAU
se reflète en CHÂTEAU,
puis, renversant le pot
se transforme en CHACAL...

C'est triste, dit le chat,
sortant son calumet,
comment trouver la paix,
car, entre tous ces maux,
suis-je d'EAU, CAL ou MOT ?

Jehan DESPERT

Meï-Ling

Enroulée sur le canapé bleu nuit, tu dors,
Rêvant d'Égypte ou de souris qui peut savoir ?
Que la paresse est douce quand il fait froid dehors.
Ta fourrure soyeuse est bronze, mouchetée de noir,
Avec d'étranges reflets quand vient le crépuscule.
Ton oreille frissonne au chant du merle siffleur
Et ta cervelle s'embarque dans de savants calculs :
« Comment diable attraper cet oiseau de malheur ? »
Ton œil devient luisant quand croise dans tes parages
Un matou grisé par la vue d'une gamelle pleine.
Tu fais le gros dos, tu craches, jouant les chattes
                                        courage,
Mais s'il insiste, tu le laisses remplir sa bedaine ;
Il y a tellement de pâtée dans le placard...
Pour rire, tu préfères te mesurer à Pixie,
De la création le chat le plus pantouflard ;
Mais une fois qu'il est sur le carreau, presque occis,
Tu le cajoles, sans doute pour te faire pardonner.
Tu te réveilles et tu t'étires un bon moment
Avant de faire la tournée de la maisonnée.
« Hé ! Je me mettrais bien quelque chose sous la dent. »

Lionel LEVAVASSEUR

7

Une ombre ?

Robe de feu
En traversant les bois
N'est-il qu'une ombre ?
Au bord du chemin
Rapide rusé roublard
Dans le brouillard j'ai vu sa queue.

Luce GUILBAUD

*

Quel animal !

Mon premier flotte au vent comme un drapeau.

Quand je sors de mes seconds, je crie et vocifère.

Quand je vois mon tout crachant le feu,
je prends mes jambes à mon cou.

drap – gongs Dragon

Anne-Marie DERÈSE

La vache

Buvant à la rivière,
une vache laitière

s'aperçut tout entière,
si belle en ce miroir !...

Mais elle en fut si fière,
cette vache laitière,

qu'elle a bu, qu'elle a bu, qu'elle a bu la rivière,
oui, l'a bue tout entière...

et ne peut plus s'y voir.

Jean-Luc MOREAU

15

Des animaux à deviner

À l'étable, aux prés, à l'attache,
Je remplis bravement ma tâche
Et l'homme, qui me prend mon lait,
De ma viande aussi se repaît.
Vous me connaissez tous...

*

Dans la toiture du château,
Qui fait son nid sur la tourelle
Et soir et matin, de là-haut,
Roucoule ? C'est la...

*

Mon poil, plus chaud que le coton,
Se fera fil et puis pelote
Pour les pull-overs qu'on tricote.
Je suis le modeste...

*

Certaines gens me trouvent cruche
Me voyant sous terre immerger
Ma tête au moment du danger.
Ma plume sert de fanfreluche.
Mais oui, bien sûr, je suis...

Jean MALAPLATE

17, 58

Chanson de ferme

Au premier goût d'allumefeu,
Dès chantecoq, trillepintade,
Miaulechat, grignotelapin,
Gloussedindon et beuglebœuf,

La basse-cour donne une aubade.

Vers cacardoie, pépiepoussin,
Jappechien, cancanecanard,
Caquètepoule et ramassecœufs,
Sur le coup de rôderenard,

S'éteint soudain la sérénade.

Bernard LORRAINE

30

Fatrazizique

Un acarien éléphantesque
dit à sa bonne : « Je suis grotesque
avec ce nœud papillon jaune
j'ai l'air d'un citron rabougri !
Redonnez-moi ma vieille cravate
Graissez la patte à mes godasses !
Pour aller au bal des Gros Lards
Je mettrai ma queue de lézard
et séduirai
        la reine Dare-Dare
en me glissant dans sa fourrure
de petit-gris.

Adieu province !
Les plus hautes destinées
Me pendent au nez
Vive les nénuphars
Et les Pieds Nickelés ! »

Jacques SIMONOMIS

24

Araignée

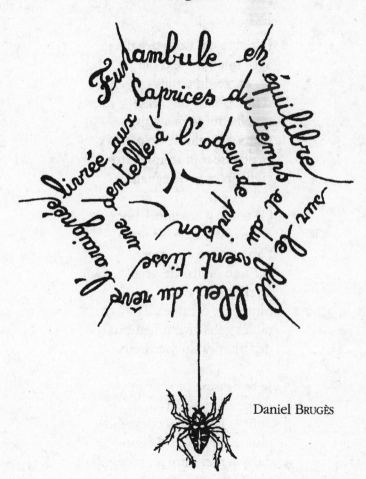

Funambule en équilibre / Caprices du temps et du fil du vent et du frisson / à l'odeur de / livrée aux dentelle à l'odeur de / une vent lisse / Fleu du rêve l'araignée

Daniel BRUGÈS

Histoire de plumes

Je t'écris du bout des doigts
avec une plume d'oie
un conte du temps présent
d'une plume de faisan
que ma mère m'a appris
cours, ma plume de perdrix
et déjoue tout traquenard
vieille plume de canard.

Ce conte à dormir debout
d'une plume de hibou
t'apprendra à voyager
sur une plume de geai
au pays de l'aloès
plume de cacatoès
où les gens vivent heureux
des plumes du macareux.

Je te dessine un volcan
d'une plume de toucan
dont la lave à flots descend
plume du fou de Bassan
dans la mer faire un plongeon
plume grise de pigeon
et rien n'est plus comme avant
plume de l'engoulevent.

Ensemble nous reviendrons
volez, plumes de hérons
des îles sous l'astre d'or
sur des plumes de condor
seule elle repartira
plume vive de ara
vers le ciel libre à son tour
sans mes plumes de vautour.

Claude KŒNIG

30

Poème à voir

Nous irons hirondelles
nous irons d'aile
sûre
sur
les étangs
lésées tant
que
queue
petite nous aurons.

Petites nous aurons
l'espace
— n'est-ce pas
                    ce
qui grise
            ceux
qui prisent
le fouet de l'air.

Le fouet de l'er
rance
rend ce
petit jeu
plus minuscule encore
ce
petit je
plus minuscule en corps.

28   Michel MONNEREAU

La cage

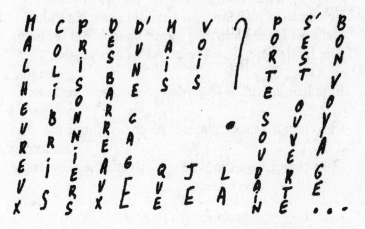

Malheureux colibris prisonniers des barreaux d'une cage mais que je vois la 🕊 porte soudain s'est ouverte bon voyage...

Stéphanie TESSON

Le mot caché

Ce n'est pas un conte, mais une histoire vraie,
Un souvenir d'enfance, je ne l'ai pas oublié,
Un jour dans ma boîte à lettres, en prenant le courrier,
Derrière la petite porte, il y avait un nid douillet,
J'ai attendu longtemps et soudain j'ai vu
Un petit oiseau bleu faisant des « allées et venues »,
Et puis bien plus tard, j'ai entendu des « cui-cui »,
Dans ma boîte à lettres, il y avait une mère et ses petits,
À la fin de l'été, dans le ciel, j'ai vu mes anges
                                        s'envoler
Et je leur ai crié : « Je garde votre maison, revenez !
                              revenez ! »
Et à chaque saison, d'autres revenaient pour me
                                        remercier.
Dans ce poème, le nom de mes oiseaux bleus est caché.

KAYO

35

Alphabête

Quand les ningouins en rabits loirs
Nous berviront ilcools de noires,

Quand les tocteurs en rabits flancs
Nous affriront des nélicans,

Quand les nrairies en rabits merts
Nous phangeront en Culliver,

Quand les unfants en rabits dunes
Nous phanteront leurs imours frunes,

Nous nourrons vegarder la mie
Et nartout sur le gonde cris
Pueillir avec bérénité
Les zleurs de lotre diberté.

Taniel FRUGÈS
alias Daniel BRUGÈS

49

Chant alphabétique 1

Zoé Zibeline au zoo s'ennuie

Yack aux grands yeux d'or
Xénanthes édentés
Wapiti au regard embué de neige
Vieux varans poussiéreux du vivarium antique
      La courtisent de loin

Unau paresseux exilé d'Amérique
Tarentule taquine et tarin malicieux
Singes singeant les Sioux
Rats raisonneurs musqués
Quadrupèdes, quadrumanes – même de qualité ! —
Pouliches et poulains, pandas et pélicans
Ovidés incongrus, prétentieux ovipares
Najas plus bêtes que nandous
      Ne l'amusent guère et la fatiguent beaucoup

Macareux malheureux macérant dans leur fange
Lion mélancolique et faméliques loups
Kangourous assoupis comme des koalas
Jabirus déplumés et jaguars assoupis
Ibis oiseau sacré dégradé par l'exil
Hyène de carnaval, hérissons prisonniers
Gorilles et guenons grossièrement bafoués

Faons tremblants éloignés des forêts et des fagnes
     Ne l'encouragent pas

Écureuils étourdis, échassiers élégants
Daguets impertinents
Cerfs de très haut lignage
Belettes et bondrées hantent encor pourtant
          les bois et les bocages...

Ailleurs... Très loin...
Alors, Zoé Zibeline attend et méprise l'adversité...

Zoé Zibeline au zoo, rêve d'un Zibelin...

Jean-Louis LE DIZET

1

Est-il perdu ?

Grinçant les soirs d'été
Roi de chaque foyer
Il se cache le jour
Le voilà silencieux
Le croyez-vous perdu ?
On l'entend dans le noir
Nous voici rassurés.

Luce GUILBAUD

2, 58

*

Tes tards

« Je me suis levé tard
et j'ai déjeuné tard,
puis, en m'amusant tard,
je me suis couché tard »

dis-tu.

« Alors,
avec tous tes tards, on
finira bien par faire
au moins une grenouille... »

Jehan DESPERT

30

Le mille-pattes
est en colère
et tire-lanli
et tire-lanlère
il vient
d'apprendre
à la télé
que les chaussures
vont augmenter.

Daniel BRUGÈS

10

Les varans

Plus laids que Quasimodo,
Traînant des siècles, pleins d'os,
Ils ne sont pas très commodes
Les varans de Komodo,
Par télé mis à la mode.

Sans pitié pour les badauds,
Les chercheurs d'Eldorado
Ou ceux qui les incommodent,
Les varans de Komodo !

Il s'en faut que sur leur dos,
J'écrive, grosso modo,
Qu'en vers, je les accommode
Plus ou moins bien dans une ode
Ou le semblant d'un rondeau,
Les varans de Komodo.

Roland LE CORDIER

La Cigogne et le Renard

Commère la cigogne, un jour, se mit en frais
Et retint à dîner le renard son compère.
    « Vous aimez le poisson, j'espère ?
    — Je l'adore s'il est bien frais,
    À peine sorti des eaux vives.
    Ne me servez ni thon, ni vive :
    J'exècre les poissons de mer. »
Elle apporte une truite absolument divine.
Il goûte. Et de cet air pincé que l'on devine,
Repoussant le régal, déclare : « C'est amer.
Un omble-chevalier eût eu ma préférence. »
Elle en pêche un sublime. Il le trouve un peu rance.
Même dédain pour un mirobolant brochet,
Et tout ce que notre échassière dénichait.
La rage la saisit, lui gonfla le bréchet.
    « Vous vous vengez, j'en suis certaine
De l'affaire du vase au long col ! C'est mesquin.
Retournez, pour vous plaindre, à ce cher La Fontaine.
Lui vous fera bouffer jusqu'à du vieux requin. »
C'est bien ici le lieu d'employer cette image :
Je reste *bec dans l'eau* pour la moralité.
    Dommage !

Voilà ce que l'on gagne à tenter d'imiter
Un grand poète qu'on surnomme,
Je ne sais pourquoi, le Bonhomme !

Lucienne DESNOUES

23, 43
D'après les fables de La Fontaine : *Le Renard et la Cigogne, Le héron.*

Le Lourdeau et l'Agnostique

Un Agnostique se désaltérait
Dans la courbure d'un ongle purpurin
Un lourdeau survient à jeun cherchant un avertissement
Et que le faire-valoir de ses lieutenants attirait.
« Qui te rend si hâtif de troubler mon bricolage ?
Dit cet animiste plein de rahat-lokoum
Tu seras châtié de ta température !

— Sire, répond l'Agnostique, que votre Majoration
Ne se mette pas en colimaçon,
Mais plutôt qu'elle considère
Que je me vas désaltérant
Dans la courbure
Plus de vingt passacailles au-dessous d'elle,
Et que, par conséquent, par aucun facteur,
Je ne puis troubler un boit-sans-soif...

— Tu le troubles, reprit ce béton cryptogénétique,
Et je sais que de moi tu médis dans l'anacardier...
— Comment l'aurais-je fait si je n'étais pas né,
Reprit l'agnostique, je tète encore ma merise !

— Si ce n'est toi c'est donc ton frétillement.
— Je n'en ai point. – C'est donc quelqu'un des tiens,
Car vous ne m'épargnez guère

Vous, vos berlines et vos chiffons...
On me l'a dit : il faut que je me venge... »

Là-dessus, au fondement des forficules
Le Lourdeau l'emporte et puis le mange
Sans autre formulaire de processus...

Jean-Louis LE DIZET

23, 33, 49
D'après la fable de La Fontaine : *Le Loup et l'Agneau*.

La Grenouille et la Cigale

Une grenouille sur un arbre
Vit à ses pieds une cigale
Qui se trouvait fort dépourvue,
Les moucherons, les vermisseaux
Ayant tous fui vers un fromage
Qui pourrissait chez un corbeau,
Vieux baryton du voisinage.
« Hé, bonjour, madame Cigale,
Admirez donc cet effet bœuf :
Moi près du ciel et vous si bas !
Et si vous entendiez ma voix !
(Dans ce récit tout a été remis à neuf)
— Si tu pouvais gober la lune,
Dit la cigale,
J'applaudirais à cet exploit
Qui ferait craquer ta baudruche. »

Mais c'est assez de ridicule
Et la fable en reste *coa*.

Gérard BOCHOLIER

23, 43

D'après les fables de La Fontaine : *La Cigale et la Fourmi, Le Corbeau et le Renard, La Grenouille qui veut se faire aussi grosse que le Bœuf.*

La Chèvre et le Chou

Monsieur de La Fontaine
S'est-il moqué de nous
En ménageant sans gêne,
Et la chèvre et le chou ?

« *La raison du plus fort est toujours la meilleure* »,
C'est ce que Maître Jean prétend mais, par ailleurs,
Pourquoi dès lors dit-il dans « Le Lion et le Rat »
qu'« *on a souvent besoin d'un plus petit que soi* » ?

« *Il ne faut pas courir deux lièvres à la fois* »,
C'est ce que La Fontaine a écrit autrefois.
Peut-on le croire quand, au contraire, il remarque
qu'« *il est prudent d'avoir deux cordes à son arc* » ?

Si « *le moins prévoyant est toujours le plus sage* »,
Comment prendre au sérieux ce fabuleux message
En sachant que le Maître a consigné plus loin
Qu'« *il faut en toute chose considérer la fin* » ?

Pierre CORAN

23

Le Loup timide

Un agneau se désaltérait
Dans le courant d'une onde pure.
Un loup survint, timide et n'osant l'aventure
Que sa grand-mère lui lisait
Dans un célèbre fablier.
« Sire, lui dit l'agneau, que Votre Majesté
Prenne un peu plus d'audace.
L'honneur de votre race
En dépend, faites vite !
— Je viens boire et croquer seulement ces myrtilles,
Répondit le timide.
— Vous plaisantez ? – Non pas.
Épargne-moi tes moqueries.
Je suis de ces loups blancs qui sont, dans les familles,
Toujours montrés du doigt. »
Dans le fond des forêts il détale
Et l'agneau se noie,

Car il était fort maladroit.

Point de vrai loup, point de morale !

Gérard BOCHOLIER

———
23, 43
D'après la fable de La Fontaine : *Le Loup et l'Agneau.*

Le petit lipogramme du loup

Si un loup tendre et doux
Paraît au coin du bois,
Soulevant son chapeau,
Dis-lui le verbe haut :
« Peste ! si je te crois ! »

*

Si un loup sort du bois,
Souriant, l'air courtois,
Courbant son dos trois fois,
D'un ton gaillard dis-lui :
« Pour un loup, trop poli ! »

*

Lorsque sort du fourré,
Sous un châle caché,
Un loup charmant, causant,
Réponds, juge sévère :
« Montre tes dents, grand-mère ! »

Robert KEMPENERS

31

POUR TOUS LES TEMPS

Do ré mi

Do-do rémi
Sol da rémi
J'ai di dodo.
Demain la-mi
Do-ré la vie, le sol-o-si.
Si-non ré-mi,
Do-si joli ré-si, fini.
Compris !

Zohra KARIM

Le soleil

Ce blond ballon,
Quand il se couche,

Ce ballon blond
Qu'on botte en touche,

Oui, dès qu'il sombre
À l'horizon,

Dès qu'il fait sombre
Dans nos maisons,

En Inde, en Chine,
À Malacca,

Aux Philippines,
En Alaska,

Par une prompte
Remise en jeu,

Il monte, il monte
Dans le ciel bleu

(Quelle chandelle !
Quelle fusée !

Les hirondelles
Sont médusées !)...

À quand remonte
Le coup d'envoi ?

La fin du compte,
Qui la prévoit ?

Quel est le titre
À décrocher ?

Pourquoi l'arbitre
Est-il caché ?

Ce ballon blond,
Quand il se couche,

Ce blond ballon
Qu'on botte en touche,

Quand la Grande Ourse
S'allume, lui

Poursuit sa course
Toute la nuit.

Jean-Luc MOREAU

L'écho du printemps

Quand revient le joli printemps,
                    Temps
De la joie et de la jeunesse,
                    Naissent
Les fleurs, les chansons, les poèmes.
                    Aime
Les poèmes, les chants, les fleurs :
                    Leur
Joie deviendra la tienne, alors,
                    L'or
De ce temps sera ta fortune !
                    Une
Fleur, un poème, une chanson
                    Sont
Les seuls trésors que j'ai gardés
                    Des
Jours qui sont passés et perdus.
                    Du
Plus lointain que je m'en souvienne,
                    Viennent,
Avec amour, gracieux, touchants,
                    Chants
Des oiseaux et bouquets de mai,
                    Mais
J'écoute l'écho du poème
                    Même

Que chantait ma mère au printemps,
Et c'est pourquoi j'aime ce temps
Tant.

Claudette VILLIA-CHANTRIE

18

Verbe préféré

À ma mère

E n toutes les saisons
e **N** toutes les occasions
il **S** uffit de sa clé d'enfant
pli **O** ns nos pauvres prétentions
esca **L** adons sans gêne les nuages
ensol **E** illons ! ensoleillons ! ensoleillons !
l'human **I** té doit être bleue comme sa terre
le blé s'é **L** ever comme une table d'or
le poème i **L** luminer l'obscurité
et tous les **E** nfants parleraient l'oiseau
libéré libé **R** é libéré.

Gilles BRULET

2

Monorimes d'avril

Les vers
Rêvèrent,
S'élèvent, errent,
Louvoient vers
Le rêve vert :

Lève ton verre
Au dernier mois en R :
Avril s'y terre,
Sa vie se déterre
Départ pour Cythère
Point pour s'y taire
À ras, fleuri, de terre.

Le ver-
-be à l'air
D'une légère
Alouette : l'affolèrent
Au ciel bleu clair
Les feux de l'éther.

Frédéric KIESEL

34

À tire-d'aile

On le sait, les oiseaux
Aiment les oiselles.
Rien ne s'oppose à ce que les passereaux
Se posent
Sur les passerelles.

De même, les chapeaux coiffent les chapelles
Les ruisseaux, évidemment, ruissellent
Des vaisseaux voguent sur des vaisselles...

Pourquoi ces vers de vermisseau ?
Pourquoi ces vers de vermicelle ?

C'est que les eaux aiment les ailes
C'est que les ailes aiment les eaux.

Jacques POITEVIN

4, 26

66

Le jardin

La troupe des petits vers voraces du matin
va vers les fleurs.
Ce sera l'assassinat des roses...

Les pantoufles de vair de Cendrillon
pointent dans le vert du jardin.
Elle fait son premier bouquet de primevères.
La rosée se casse comme du verre
sur la pelouse.

Les vers ensoleillés du Poète
s'ouvrent et se perdent
dans le vacarme des nids.

Andrée SODENKAMP

30

Quand l'enfant rit dans le jardin, le vent oublie tous ses tourments. Quand l'enfant rêve au jour prochain le temps s'arrête un instant. Court. Le soleil alors résonne de mille mots cachés.

Daniel BRUGÈS

10

Myosotis

Myosotis
Tissera
Rapetasse
Tassera
Ratiboise
Boiserie
Ritournelle
Élégie
Gît le cœur
Eurêka
Carnivore
Ordinaire
Errata
Tatamis
Myosotis.

Jean OLIVIER

19

Raisins

Toc toc toc
un deux trois
grains de raisin
blanc ou violet
grains d'automne
sur ma langue

Floc floc floc
toute la grappe
verte ou dorée
qui se précipite
dans l'escalier
de mon gosier

Cloc cloc cloc
un ruisseau
de jus de raisin
avec les pépins
comme des bateaux
perdus dans ce flot

Joël SADELER

15

Semaine propre

Monsieur Lundi sort ses souliers,
Monsieur Mardi sort ses chaussettes,
Mercredi se lave les pieds.
Quand Jeudi tire sa casquette,
Vendredi se lave la tête ;
Alors Samedi prend la douche
Et Monsieur Dimanche se couche !

Robert VIGNEAU

15

Chant alphabêtique 2

Avril est arrivé

Bientôt de blancs bateaux sous belle et bonne brise
Cingleront vers l'Orient comme des caravelles...
Douce, une dame en domino d'or dansera sur la dune
Et nous, éblouis enfants obstinés
Ferons sur la falaise un grand feu d'autrefois
Guetteurs inassouvis
Hallucinés sans honte
Innocents inventeurs d'images improbables
Joueurs impénitents de lumières et d'ombres...

Korrigans et kobolds et la blanche Khoré
Les mains liées sous la lune
Mesureront leurs pas pour ce menuet magique
Nocturne sarabande et nudité des nymphes...

Oiseaux de nuit qui oblitérez l'ombre
Prenez donc en pitié nos vieux projets perdus
Quiétudes embarquées sur un quatre-mâts barque
Rêves non reconnus mais notre renaissance...

Sylphides et sylvains nous attendent aux Îles
Taraudées par les vents mais douces au printemps
Usées mais parfumées de plantes à silique
Vigies de vaisseaux morts

Wagnériens vestiges
Xanthes et xylophages y trafiquent dans l'ombre...

Yeux clos... Ylang-ylang...

Zanzibar au loin... Et les tendres zéphyrs et les doux
alizés...

Zanzibar au loin...

Avril est arrivé

Jean-Louis LE DIZET

1

Météorologie

Or et sang
Rature du ciel
Arme à double tranchant
Gamme de notes déchirées
En moi, tu portes la couronne des Rois.

*

Pour un ciel qui s'ouvre
La terre devient plus ronde
Une fleur lape
Insolemment les larmes de l'été
Entraînant l'abeille dans un rêve mouillé.

*

Salut à toi
Orfèvre du jour
Libérant tes joyaux
Entêté tyran
Immolant sur tes plages
Les consentantes vierges.

*

Faire un feu de bois
Rouge et bleu, et tendre à la fois
Opium, douce euphorie
Instant de rêve
Dans le gel qui se cogne aux fenêtres.

*

Nue, nuée, nuage
Une bourrasque s'évertue
À cacher le soleil
Gémissements des humains que l'ombre étreint
Émotion frissonnante de l'attente.

*

Carillonnez
La fête de Pâques va
Orchestrer les Anges
Carillonnez
Harmonie dans un ciel pardonné
Élevez vos désirs dans le temple des arbres
Songez, seulement, qu'il faudra recommencer.

Anne-Marie DERÈSE

2

Météo

Comme il faisait, ce soir-là, une brise légère
il décidait donc de prendre un peu l'air.
Mais sitôt dehors, il constatait avec déconvenue
que la bise était venue.

Météo mode d'emploi :
avant de prendre l'r de la brise, il faut y regarder
à deux fois.

Jacques CAILLAUD

30

Humeurs

Ça gèle sur les crêtes
Ça gèle dans ma tête

Ça danse dans les branches
Ça danse dans mes hanches

Ça aboie dans les bois
Ça aboie dans ma voix

Ça pépie chez les pies
Ça pépie dans ma vie

Évelyne WILWERTH

Haïkaï

Sous l'archet du vent
ce soir
la nuit joue faux.

*

Le vent fait des écailles
sur la peau du ruisseau.
J'en ai la chair de poule.

*

La nuit l'effraie.
Il ne sait plus
par quel hibou la prendre.

*

Ni fées ni anges
mais autour de nos granges
les mésanges.

*

Il neige tendrement
sur l'épaule du vent
qui se heurte aux ramures.

Michel-François LAVAUR

27, 29

L'orage

Au lever du jour le soleil dormait.
Rien ! Pas un rayon ! Pas une lumière !
Cinglante et grise, la pluie tombait.

Éclairs et lueurs, bruits sourds du tonnerre.
Noir et blanc, l'orage se déchaîna.

Ce spectacle sortant de l'ordinaire,
Irréel et fou, peu à peu changea :
Et le calme est revenu sur la terre.
L'arc-en-ciel enfin nous illumina.

Jacques MERCIER

2

Blanche et noire

La gelée blanche c'est la bête noire
Des maraîchers, des arboriculteurs.
Chez les vignerons c'est la gelée noire
Qu'ils craignent bien sûr comme le loup blanc.

Et le gel agit quand le ciel n'a pas
Sa couverture en laine de nuages,
Par les nuits fileuses de pleine lune :
Hublot d'au-delà, mica de l'enfer...

Méfiez-vous aussi du verglas d'été !

Michel MARTIN

30

Gardez pour vous

Gardez pour vous vos nuages en semelles de feutre
Votre ciel aux étoiles de cirque
Vos visages de poterie, leurs yeux de chasseurs de
                                    mouches.
Nous sommes dans la maison de nacre.
Celle qui vient ne parle ni ne mange
C'est la neige.
Son cœur est pur comme le sabre.

                                    Claude DE BURINE

Et la neige

Et la neige qui commence à venir
Fond déjà comme des espoirs perdus
Sur les buis de la bonne aventure
Leur odeur acide de petite fille aux amandes
Dans la grande fête de décembre.

Les lampes allumées ont mis leurs bijoux de compagnie
Les vitrines, leurs fourrures en arrêt.
Les reflets glissent sur ceux qui passent.
Le cuivre a gardé ses usages de sapins et de houx
Les grilles, leurs souvenirs d'aubépines et de lauriers-
                                                                roses.

Ta porte est nue et sans couronne
Tu sens l'encens, le bois mouillé,
Le rhum des enfances éblouies.

Claude DE BURINE

38

Comptine de la tempête

La mer bat les bateaux
la mer fait le gros dos
eh eh !

Les poissons sont contents
ils dansent dans les courants
les crabes marchent droit
pour la première fois.

La mer bat les bateaux
secoue les matelots
eh oh !

La pluie lave les vagues
l'écume dessine des bagues
et d'un coup d'aile le vent
emporte les goélands.

La mer bat les bateaux
les matelots font le gros dos
eh oh !

Michel MONNEREAU

15

Poème élastique

Je
t'écris
un poème
qui va grandir,
s'allonger d'un pied
à chaque vers tracé
sans plus jamais s'arrêter
jusqu'à remplir tout l'Univers...
(veux-tu m'aider à le rétrécir ?)
****
******
*****
****
****
***
**
*

Carl NORAC

Labourage

JADISLESBŒUFSPIQUÉSDEL'AIGUILLON

RUETNELEMLACNEEURRAHCALTNEIARIT

MAINTENANTONFONCEAVECLETRACTEUR

NOLLISUDTUOBUAROCNEENRUOTNOSIAM

Claudette VILLIA-CHANTRIE

Question

Qu'est-ce que la nuit ?
Qu'est-ce que tu en penses ?
Qu'est-ce que tu dirais, toi ?

— La nuit, c'est une porte.
Les portes cachent toujours quelque chose.

— La nuit, c'est une pèlerine.
Les pèlerines – et davantage encore – les pèlerins
C'est pour aller loin.

La nuit, c'est une porte ?
La nuit, c'est un manteau ?

Je suspendrai le jour à mon portemanteau
Et me glisserai dans la nuit.

JACQUES POITEVIN

VOYAGES ET PAYSAGES

Les culottes

Où sont passées les culottes de charmie Charlotte

vous n'en
vos
jeux
croirez pas

Culottes roses
Culottes bleues
Habillent   Un âne
à Pétrouré   Culotté

Robert KEMPENERS

10

Ponts

J'ai vu un lézard
Sur le pont des Arts

Un chat fait la lippe
Pont Louis-Philippe.

Un chien fait le beau
Au pont Mirabeau.

Une tourterelle
Pont de la Tournelle.

C'est drôle un rhino
Pont Solferino.

Jean LESTAVEL

4

Si tu vas à la mer...

Si tu vas à la mer
Merci de lui chuchoter
Tes vagues la belle
Bêlent gentiment
Mens pas à l'océan
Entends-tu
Tu le regretterais
Raison ou pas
Passe ton chemin
Mains dans l'eau
L'eau à la bouche
Bouche bée
Bêche le vent
Vante l'air
Erre ainsi
Si tu vas à la mer
Merci de lui chuchoter...

Patrick HURÉ

D

Dans son sac à dos
Le D a rangé
Appareil-photo
Chaussettes lavées
Rayons de soleil
Raisins et groseilles
Puis il est parti
Direction Paris

*

H

Perché sur ses échasses
voici le H qui passe
il se prend pour le berger
des lettres de l'alphabet

Joël SADELER

13

Fortune

Favorise-nous funambule Futur,
Faisons fortune.
Fabriquons fiévreusement
Filtres, figurines, fétiches,
Facturons force fournitures,
Fuyons foudroyantes faillites.
Fichtre ! Faisons fi finalement,
Filons-à-la-française :
Franchissons fenêtres, fleuves, falaises.

Gérard LE GOUIC

56

La Samaritaine

Décapsuleur, taille-crayons, cloche à fromage,
Peau de chamois, passe-lacets, plat à gratin,
Antivols, boîte à sel, clés, réveille-matin,
Vinaigrier, tire-bouchon, boîte à cirage,

Armoire, accastillage, outils de jardinage,
Four micro-ondes, draps, extracteur de pépins,
Escarpolette, housse à fauteuil, planche à dessin,
Fourchette à escargots, trousse de maquillage,

Batteur à œufs, sèche-cheveux, brosse à reluire,
Table de jeux, rideaux, aquarium, poêle à frire,
Pinceaux, moulin à poivre, attirail pour pêcheur,

Vilebrequin, cuiller, burette à huile, antenne,
Cosmétique, abat-jour, lutrin, téléviseur,
On trouve vraiment tout à la Samaritaine.

Bernard LORRAINE

21

Le poisson rouge

Le poisson rouge dans son bocal
Calcule sa trajectoire
Rebondissant sur la paroi
Roidissant ses nageoires molles.

Il se trouve beau quand par hasard
Arrêtant sa course il capte son reflet.
Flétrissant alors tout autre que lui-même
Menace tout de go de partir pour les îles.

Ne saurait-il plus qu'il ne peut s'échapper ?
Personne en tout cas ne veut le lui rappeler,
Les rêves, bien souvent, rendent la vie plus douce.
— Ce poisson heureux à loisir s'illusionne.

Nathalie FRANÇOIS

29

?

Partir sur un coup de tête à Prague pour les fêtes ?
Ouvrir son cœur pour un ailleurs, que c'est
                                romantique !
Une escapade au feeling de la boussole : c'est chouette !
Rappelle-toi la dolce vita dans la Rome antique.
Quand céderons-nous à d'exquis excès en Aix ?
Une petite valse sous la pluie ! Est-ce que tu me suis ?
Oh, beau danseur, vous me paraissez bien cavalier !
Il me semble que vous sortez de chez les yéyés !
Pas à pas quand je me rapproche, toi tu t'enfuis...
À mesure que tu te détends, moi je me vexe...
Sapristi ! Nous demeurons dans l'interrogation :
  ?

                              Sylvain RESSE-MAREST

Le bijoutier

Notre bijoutier
a des doigts de fée

Les aiguilles de sa montre
filent les heures du monde

Le pouce
à Sousse

L'index
à Gex

Le majeur
à Denver

L'annulaire
à Madère

L'auriculaire
au creux du Caire

Notre bijoutier
a des doigts de fée

Les aiguilles de sa montre
filent les heures du monde

Joël SADELER

15

Devinette pour demoiselles

En dentelle d'Espagne, en bois de Palala,
Venant d'Andalousie, d'Asie, de l'Opéra,
Esprit léger, je vole aux doigts des demoiselles,
Ne croyez pas pourtant que je sois hirondelle !
Toujours plié, je suis sage au creux de la main,
Avec mon aile ouverte, on donne un air câlin
Il arrive parfois que je serve de masque
Libérant alors les secrets les plus fantasques.
Savez-vous qui je suis ? Devinez demoiselles !

Mathilde MARTINEAU

2, 15

Lieux-dits

Le Colombier, le Gros-buisson, Lieu-babillard,
La Motte, Saut-du-Cerf, le Maupas, Grand-Chauffour,
Les Granges, Souverain-Moulin, Camp-de-César,
La Géhenne, Malicorne, la Haute-Cour.

Les Chétives-Maisons, les Chaumes, le Pouilleux,
La Belle-Épine, Sous l'Étoile, Grand-Moussu,
Sainte-Colombe, Val d'Enfer, la Maison-Dieu,
Les Couronnés, les Paillards, les Cossus.

Saint-Jean-des-Vignes, Chantemerle, Maldétour,
La Bruyère, Pont-à-curés, les Quatre-vents,
Les Ombreux, Réconfort, le Bois d'avril, la Tour,
Tremblaye, l'Aubier, le Gué, la Fontaine d'antan.

Jean LESTAVEL

21, 30

Enveloppe

E   E   P   P   O   L   E   V   N   E
N   N   N ers   Derrière l'enveloppe A l'envi   P   P
V   V olage apparition Avant de sto P   P   P
E   Epris E de grands v Ols   O
L   l'enveLoppe   L
O   E
P   Son envol   V
P   C'est que voilà A vélo un postier!   N
E   N   V   E   L   O   P   P   E

Marie-Hortense LACROIX

Le magicien

Un rapace passe pour magicien
S'envolent deux colombes
Lune blanche
L'autre rousse
Comme deux petits soleils.

*

Question de temps

En âge de t'aimer
En nage
L'étang à traverser
Les temps
Petite langue de brume...

Dominique GRUNDLER

Essaim

Essaim :
moteur d'abeilles.

*

Jeux

Insouciant et primesautier :
cervaile d'oiseau.

Les jeux de mots sont à la merci
du plus grand nombre.

Jacques CANUT

Fait l'ingénue

Radomir
Admira
Marie à Rome
Iphigénie nue s'ingénia à
Nier l'achat d'un chat roux
À son Roméo
Gros gras grand brun chat
Rusé roux matou
Osé gai minois
Bouffon bouffi fou
Ingénieux filou
Simiesque siamois.

Sylvestre CLANCIER

2

Chanson du partage des langues

Or voici qu'un oiseau
Vient se percher en haut
De la tour de Babel.
Les blonds s'écrient *Vogel* !
Et les bruns *ucello* !
Les bridés crient *niao* !
Les barbus *pájaro* !

Chaos sur la colline,
On imagine.

L'un *bird* ! l'autre *oiônos* !
L'un *véh* ! l'autre *ptitsa* !
Et les bronzés *asfar* !
Intra-extra-muros
Voilà que tous s'effarent :
Les mots, écoutez ça,
Qui se métamorphosent ?

On brise les machines,
On se mutine.

Cacophonie et drame !
Quand l'un prétend *yo soy*
Untel réplique *I am*,
Oc cherche noise à *oïl,*

Io sono à *ich bin.*
On ne peut plus s'entendre,
Se parler, se comprendre.

Babel se ratatine
Et tombe en ruines.

Bernard LORRAINE

57

Holorimes à quoi ?

Allez à Aa.
Aléa ? Haha ?

Saint Omer ?
Saint Homme, mère
Sainte, ô Mère
ceinte aux maires.

Car, en bas.
Caramba !
       On y va !

Jacques SIMONOMIS

28

Travaux pratiques

Aller à la pêche au Grevisse
Dessiner un mouton ayant lu Rabelais
Informer les cow-boys de la folie bovine.

30

*

Poème sans fil
(Tentative express de polyglossie)

Comment dit-on haricot vert
En polonais ou à Denver ?
Fasota szparagowa
French bean.

Jean-Luc DESPAX

57

Les L du temps

Allumer un feu
Brûler les souvenirs crasseux
Calculer le temps écoulé depuis
Dire que c'est fini
Embarquer ce qui survit
Faire, défaire, refaire
Grogner sur les absents
Hacher les bouts restants
Insister
Jubiler
Kilogramme, gramme après gramme
Libérez-vous du poids des absents
Méditez jusqu'au levant
Nourrissez vos pensées de présents
Oublier ! Oublier ! Oublier !
Prenez l'air frais de la nuit
Quand vous vous sentez léger
Restez.
Saisir chaque seconde qui passe, puis la laisser
                                    s'envoler,
Tout comme le papillon de nuit,
Unique et sans lendemain,
l'instant présent
Vit puis s'éteint.
Wagon de nuit qui s'en va, un autre reviendra.
Xylophone jouant

Y'a la vie, note après note, légère comme le vent, c'est la vie
Zéphyr parle-nous encore, ne t'arrête pas.

Zohra KARIM

Le soir tranquille

Quand le soir tranquille s'étend,
Il est tout secret, tout mystère.
Une chanson douce s'entend,
C'est la berceuse de la terre.
Déjà la campagne s'attend
À ce soir tranquille. Pourtant,
Les fleurs des champs sont encor claires.
Un coucou chante à contretemps.
Le soir tranquille se détend,
Et tout le verger sait se taire
Sous les astres qui se libèrent.
Et le soir tranquille est content !

Jacques CHARPENTREAU

Ce petit poème en cache un autre. Pour découvrir le poème caché, il faut utiliser le dictionnaire qui permet de passer du premier au deuxième poème par une traduction de mot à mot.

Dictionnaire

à : *de.*
à contretemps : *do ré mi.*
astres (les) : *jour d'été.*
attendre (s') : *émerveiller (s').*
berceuse (la) : *caresse (la).*
campagne (la) : *monde (le).*
champs (des) : *thym (le).*
chanson (une) : *nuage (un).*
chanter : *siffler.*
content : *promis.*
coucou (un) : *merle (un).*
détendre (se) : *réveiller (se).*
douce : *rose.*
entendre (s') : *éveiller (l').*

étendre (s') : *sommeiller.*
Et le : *voilà.*
être content : *promis.*
fleurs (les) : *roses (les).*
sont encor claires : groseilles (les)
libérer (se) : *ensoleiller (s').*
mystère (le) : *endormi.*
pourtant : *parmi.*
savoir se taire : *soumettre (se).*
secret : *chaud.*
soir tranquille (le) : *petit matin (le).*
sous : *au.*
terre (la) : *ami (un).*
verger (le) : *jardin (le).*

110

Le petit matin

Quand le petit matin sommeille,
Il est tout chaud, tout endormi.
Un nuage rose l'éveille,
C'est la caresse d'un ami.
Déjà le monde s'émerveille
De ce petit matin, parmi
Les roses, le thym, les groseilles.
Un merle siffle, do, ré, mi.
Le petit matin se réveille.
Et tout le jardin s'est soumis
Au jour d'été qui s'ensoleille :
Voilà le petit jour promis !

Jacques CHARPENTREAU

57

Un délicieux mensonge

Promenant sur le ciel des yeux appesantis,
Je suis d'un pas rêveur le sentier solitaire,
Car le vent, élevé bien au-dessus des terres,
Porte le soleil noir de la mélancolie.

Ce soleil pâlissant, dont la faible lumière,
Suspend une immobile ombelle de rosée ;
À travers le chaos des vivantes cités,
L'air est parfois si doux qu'on ferme la paupière.

Le silence y somnole entre des quais de songe
Sans rien voir au-dehors, sans entendre aucun bruit,
Ou comme Don Quichotte en sa morne folie,
Laissez, laissez mon cœur s'enivrer d'un mensonge...

Maxence PRZYBOROWSKI

11

Les vers de ce poème sont empruntés à divers poèmes :
1. Charles Baudelaire. *Bohémiens en voyage.*
2. Alphonse de Lamartine, *L'automne.*
3. Alfred de Vigny. *La mort du loup.*
4. Gérard de Nerval, *El Desdichado.*

5. Alphonse de Lamartine, *L'automne.*
6. Catulle Mendès, *Paysage de neige.*
7. Charles Baudelaire, *Les petites vieilles.*
8. Arthur Rimbaud, *Roman.*

9. Henri de Régnier, *Il est un port...*
10. Victor Hugo, *Demain dès l'aube.*
11. Saint-Amant, *Le paresseux.*
12. Charles Baudelaire, *Semper eadem.*

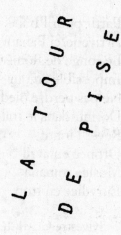

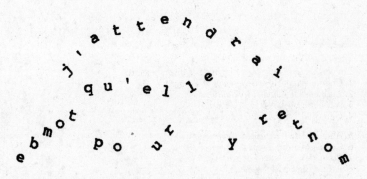

Jacques CANUT

Il crâna moderne postiche

Partir pour l'Italie
Arrivederci Panam
Le songe de Roméo
Impossible amour
Ne pas perdre pied
Dormir dans le train
Rêver l'infini
Orphée en avril
Musica romana
Eurydice en trop.

Sylvestre CLANCIER

LES ENFANTS SAGES
ET LES AUTRES

Journée du paresseux

Le matin, si grand je bâille
Qu'on me voit jusqu'aux entrailles.
Le haricot du midi
Pour la sieste m'assoupit.
Après quoi, hé ! je somnole
Jusqu'à la fin de l'école.
Puis à la maison je rentre,
Je m'attable et me remplis
À toute allure le ventre
Pour foncer plus vite au lit.

Robert VIGNEAU

15

Au pêcheur de rimes

Petit marin, tiens bon ta rame !
Déguisées comme à mi-carême,
Au fond de l'eau nagent les rimes.
Tous les chemins s'en vont à Rome,
Mais les pieds mouillés vont au rhume.

Noël PRÉVOST

6

*

N'oublie pas

Prends ton courage
Ouvre les yeux
Écoute le monde
Suis ton idée
Invente-toi
Et n'oublie pas

Jacques SIMONOMIS

2

Le mousse fait de la mousse

Chacun sur le bateau
L'appelle à la rescousse.
Il accourt aussitôt.
Il est fier d'être *un* mousse.

Mais quand il prend son bain,
qu'il rit et s'éclabousse,
le savon dans sa main
donne *une* jolie mousse.

Les mots sont masculins,
les mêmes sont féminins.
Pour que sa peau soit douce
le mousse fait de *la* mousse...

Jacques MERCIER

Un ! Deux ! Trois !

Un deux trois
Peau de banane
Et peau de toutou
Hibou joujou pou
Tu seras peau d'Âne !
Un deux trois...

Papillon du soir
Au parfum d'espoir
Papillon du jour
Couleur de l'amour
C'est toi qui clugneras !

Langue de bœuf et langue de bois
Qui va se faire cuire un œuf ?
Ce sera toi !

Claire DE LA SOUJEOLE

Bon appétit !

Beurre d'arachide

Blédine

Choco-BN   Chokapic   Clémentines
   Escalopes à la crème

Flamby   Flans   Friands
     Galak
   Kinder-surprise Lait Nestlé
Nutella

Pain d'épice
Petits pois et carottes
Petits poissons panés

Petits pots   Petits sablés dans du lait
Petits-suisses

Potage au potiron
   Raviolis

Rebecca

Soupe de tomate

Tartines de beurre et de confiture

                 Isabelle LARPENT

21

Semaine en sucre

Lundi : glace au caramel,
Mardi : chocolat au lait,
Mercredi : sucette au miel,
Jeudi : des bonbons anglais,
Vendredi : gelée d'orange,
Samedi : pâtisseries...
Et dimanche qu'est-ce qu'on mange ?
À pleines dents : ses caries !

Robert VIGNEAU

15

Bizarreries

J'ai un pou dans mon cou
J'ai un paon dans mon sang

J'ai des hiboux dans les genoux
J'ai des poulets dans les mollets

J'ai un cancrelat dans mon estomac
Et un perroquet dans mon cervelet

Quelles bizarreries dans mes tuyauteries !

Évelyne WILWERTH

La tête à l'envers

Un croissant dans ta bouche
Avec du lait sucré,
Un rayon de soleil
Venant t'éclabousser,
Un oiseau peut-être
Sur le plancher,
Une mie de pain
Là sur le sol,
Une cuillère à soupe
Tirant son arbalète,
Le chat bleu aux abois
Dans sa salopette,
Et le jus de citron
Suspendu au plafond,
Mélangeant son arôme
Au cigare de l'homme
   Penché sur l'escalier
   Au fond du palier,
   Regardant sur les marches
   La fourmi et son arche,
   Tapissant le couloir
   En rouge et noir,
   Jusqu'à la porte cochère
   Se mettant en colère
   Devant tous les passants,
   Ne disant mot, passant,

Sous les yeux de la vache
Qui peignait sa gouache,
Pendant que la fermière
Qui n'était pas peu fière,
Tirait du lait entier,
Pour ta bouche sucrée.

Marc SPACCESI

Leila

Ma
Maman
M'embrasse
Brasse mes longs cheveux
Veut que je grimace
Masse ses soucis

Scie la mauvaise branche
Branche un gros soleil
Leila sur la vie
Vite ! vite ! vite !

Gilles BRULET

19

Cheveux et chevaux

Les cheveux qui frisent
l'écheveau de bois
les chevaux de laine
les cheveux d'Hélène
les chevaux de frise
l'écheveau de Troie.

L'écheveau de laine
des moutons de Troyes.

Jacques CANUT

15

Les jeux abandonnés

Les promeneurs de l'aube
s'arrêtent sous le globe
de la lune, étonnés,
de voir en grand désordre
près des chiens prêts à mordre
les jeux abandonnés.

De voir des poupées tendre
en une pose tendre
leurs bras infiniment,
sous le vent frais il semble
que leurs bouches ensemble
supplient une maman.

Poussant du plat du sabre
son cheval qui se cabre
un martial cavalier
dans une forêt d'herbe
garde, plein de superbe,
le pied d'un peuplier.

Contre la maisonnette
l'immobile planète
d'un ballon prisonnier
vers le ciel qui grelotte
attend qu'un coup de botte
le fasse tournoyer.

Depuis le crépuscule
le cheval à bascule
sollicite, surpris,
le retour sur sa croupe
de l'enfantine troupe,
ses rires et ses cris.

Sous nos regards, des livres
leurs images délivrent
naïves ou osées,
verse Schéhérazade
le thé chaud par rasade
sous les froides rosées.

Nos doigts froissant la menthe
le besoin nous tourmente
d'expliquer cet oubli
de nos bons petits diables
quand le marchand de sable
les a poussés au lit.

Mais sans succès, qu'importe,
un poing pousse la porte
qui décrit le perron,
et les enfants déferlent
comme un collier de perles
dont le fermoir se rompt.

                        Claude KŒNIG

Simple

Simple
Comme une main tendue
Au-dessus d'une haie, d'un mur
Comme le cœur du glaïeul au passant
Comme la poussière, le sable
La pluie sur des adieux
Le mot du soir qui brille
Comme un ver luisant.

Claude DE BURINE

14

BBKC

S'il vous plaît, monsieur l'AB,
Pouvez-vous ramasser encore mon BB,
Une poupée que sa maman lui avait HT,
Et la fillette n'a jamais CC
De la rejeter, obligeant le curé à se BC,
Pour ramasser et lui ramener son BB.
Mais au bout de plusieurs fois, l'AB, NRV,
Gronda l'enfant : « Ce jeu est stupide, AC ! »
Notre chipie se mit en colère et très AJT
Lança si fort sa poupée qu'elle a fini par la KC,
Et tira même la langue à ce brave AB
En hurlant : « C'est bien fait, elle ne voulait pas TT. »
Moralité : il ne faut jamais CD
Aux caprices des enfants très mal LV.

KAYO

13

Menu

1 A 6 É T $\frac{É \pi C}{2}$	Une assiettée de soupe épicée.
E H I S O 6 2 P I	Œufs, hachis et saucisses de pays.
6 V N A V M H	Civet et navet et mâche.
Q V 2 3	Cuvée de Troyes.
$\frac{4}{4}$ R I L É	Quatre-quarts, et riz et lait.
Π S L E V	Pièce élevée.
Π K 6 É R L	Pie aux cassis et airelles.
K V E T R E M O K	Cave et théière et moka
O D 3 A B I	Eaux des Trois Abbayes.
S A C ?	Est-ce assez ?

Michel-François LAVAUR

Un mot peut en cacher d'autres

Tu me dis, *la baignoire* fait des vagues
et des nuages d'écume.
Je te réponds, *l'abbé noir* arrive à pas de loup
dans la brume.

*

Tu me dis, sur la *margelle,* trois oiseaux
se désaltèrent de trois gouttes pures.
Je te réponds, la *mare gèle,* vite courons
nous réchauffer sous la bure.

*

Tu me dis, ce repas est *digeste*
comme un steak d'éléphant.
Je te réponds, nos *dix gestes*
symboliques protégeront les enfants.

Anne-Marie DERÈSE

28

Jeu

1
Le poème a ses règles :
en joue !

2
Quand il joue
l'enfant
joue-t-il ?

et le poète
quand il poème ?

3
désolé
dit le poème j'ai digéré
la clé

4
Quand il enfante
le poème
il est sans mot

5
Sans mot, c'est dire !

dire sans mot, c'est remonter
comme saumon frayer
à la source

Jean-Damien CHÉNÉ

J'aime la vérité

Les uns font de grands tralalas,
À petits pas des révérences,
Des entrechats savants, des danses...
— Moi, je mets les pieds dans le plat.

Les autres offrent des lilas,
Des robes garnies de dentelles,
Des bonbons et des mirabelles...
— Moi, je mets les pieds dans le plat.

Je dis ce qui ne se dit pas,
Je patauge avec gourmandise
Dans le yaourt de la franchise :
— Moi, je mets les pieds dans le plat.

Jacques CHARPENTREAU

Onomatopées

CRAC dans le sac
TOC dans le roc
BOUM dans le loup
VLAN dans le banc

Et la pauvre Évelyne dans la farine !

Évelyne WILWERTH

La vérité

Par un beau matin d'été,
du fond du puits, la vérité est remontée...
Oui mais désaltérée !
Donc c'est décidé, dès maintenant,
la vérité sortira de la bouche des enfants.

Jacques CAILLAUD

La grande tournée

J'allais d'un pas vif dans la neige des chemins,
Mon paletot troué n'avait rien d'idéal.
On pouvait bien me dire : « Il fera beau demain ! »,
Engelures et gerçures, j'étais votre féal.

J'avais une poignée de sous au fond de mes poches,
Mais je ne savais trop comment m'en délester :
Toquer chez la Simone et me taper la cloche
Ou chez la Célestine et me faire dorloter.

J'arrivai dans la ville, bleu comme un ciel d'été,
Dansant d'un pied sur l'autre et soufflant sur mes
doigts.
J'allais finalement opter pour une bonne potée,
Quand, dans une rue sombre, on m'appela d'une
grosse voix.

« Hé ! Fiston ! Tu m'as tout l'air d'être un rude gaillard
Et j'ai justement grand besoin d'un assistant
Car le mien a rejoint l'équipe du Père Fouettard,
Le Judas ! Pas plus tard qu'il n'y a pas longtemps. »

Sitôt dit, sitôt fait. Tope là, Papa Noël !
Une lampée d'antigel dans le carburateur,
Oups ! Et nous voilà partis à travers le ciel
Le nez dans la tourmente, jouer les bienfaiteurs.

Une chaudière dernier cri pour la famille Landru,
Un réveille-matin pour les meuniers endormis,
Des enfants insomniaques pour le Grand Lustucru,
Un extincteur pour la Pucelle de Domrémy.

Du fil et une aiguille pour Louis et sa Toinette,
De la cervelle pour le Petit Chaperon rouge,
Un soupçon de fidélité pour la Fanette,
Une écope pour Venise où pas une barque ne bouge.

Une débroussailleuse électrique pour Raspoutine,
Tout un quintal de mort-aux-rats pour les Borgia,
Un petit livre rouge pour l'empereur de Chine,
Une perruque de folle pour un président bougnat.

Et comme ça jusqu'aux premiers rayons du soleil.
Alors que notre tour du monde semblait terminé,
Voilà que le bougre tourne vers moi sa trogne vermeille
Et dit – plutôt grommelle – d'une haleine avinée :

« Sacrebleu ! Et mes protégés de Papouasie ?
Cette année, ils n'ont croqué que deux missionnaires...
Non, vraiment, ce serait manquer de courtoisie
Que de laisser leurs pauvres ventres crier misère.

Dis donc, grosso modo, tu pèses dans les combien ? »

Lionel LEVAVASSEUR

───────

52

Manoir secret

Lorsque j'étais enfant
Fan-
Tômes et sorcières
Scièrent
Dans un secret manoir
Noir
Le toit d'une cage où
Jou-
Aient de cruels reptiles
D'îles.

Gérard LE GOUIC

Pantoum

Ah ! qu'il est distrayant le chemin de l'école...
On s'égare d'abord un peu dans le jardin
Tiens, on dirait déjà que le picvert bricole
Ce soir, l'arbre sera découpé en rondins !

On s'égare d'abord un peu dans le jardin
Tiens, le chat ouvre un œil, hop ! et l'oiseau décolle...
Ce soir, l'arbre sera découpé en rondins !
Jusqu'au portillon vert, les coucous caracolent

Tiens, le chat ouvre un œil, hop ! et l'oiseau décolle
Une cloche huit fois s'égosille au lointain
Jusqu'au portillon vert les coucous caracolent
Hirsute, le soleil bâille au nez du matin

Une cloche huit fois s'égosille au lointain
On se laisse accrocher par les herbes frivoles
Hirsute, le soleil bâille au nez du matin
Ah ! qu'il est distrayant le chemin de l'école...

Stéphanie TESSON

41

Bonnes résolutions

Toujours nous aimerons le travail et l'effort
Le loisir et les jeux sont choses détestables.
Mes amis, méprisons le paresseux qui dort,
Le pauvre besogneux, c'est l'homme respectable.
Soyons les compagnons du noble travailleur,
Du flâneur qui repose, il faut haïr le choix !
J'aime cette leçon qui prône le labeur,
Ne pas faire grand-chose est indigne de moi.

Noël PRÉVOST

59

Arthur entre quatre murs

C'est le roi du fric-frac, Arthur, le bel Arthur,
Bourré de fric, toujours en frac, Côte d'*Azur*,
La grande vie, en somme,
Le plus heureux des hommes !

Il aurait dû pourtant s'inquiéter du *futur* :
Pris en flagrant délit de vol, le bel Arthur
S'est rompu le *fémur*
En tombant d'un haut *mur*.

Au frais dans sa cellule il apprend l'orthographe
(Après tout, ça vaut mieux que peigner la girafe).
La nuit, sous un fanal,
On l'entend qui murmure :

« Noms masculins, dont la finale sonne en *URE,*
Vous exigez un *E* final,
Sauf *azur, fémur, futur, mur.* »

Bernard LORRAINE

26

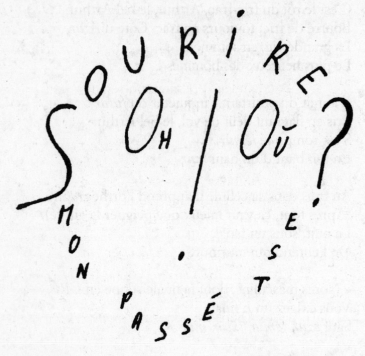

Stéphanie TESSON

Problème

Soit 60 sots gourmands
Dont les 9/10e sont
De fort méchants garnements.
Devant la charcuterie,
Soudain leur prend grande envie
De jambons et saucissons.

Le marchand dit : « Doucement,
Je ne vends qu'aux bons garçons
Mes jambons, mes saucissons.
Je ne sers pas les méchants :
Hors d'ici, les polissons ! »

Calcul : combien de sots bons
Vont se mettre sous la dent
Ces jambons et saucissons ?

Ces gens, bons et sots, 6 sont.

Robert VIGNEAU

13

Solution :
gens sots : 60
sots fort méchants : 60 × (9/10e) = (60 : 10) × 9 = 54
donc sots bons (car pas méchants) : 60-54 = 6.

Les chiffres

1

Droit comme un if
il se dresse vindicatif
et, premier en arithmétique,
s'imagine être unique.

2

Deux pieds, deux mains,
deux yeux,
deux seins,
ils vont par deux
comme le couple humain.

3

Les trois angles
du triangle :
la Trinité
dans l'unité.

4

Aux quatre coins
du monde
les quatre vents
par tous les temps
mènent la ronde
de nos destins.

5

Les cinq doigts de la main
pour leur plaisir
n'ont pas d'autre désir
ni de meilleur chemin
que de s'unir
aux doigts de l'autre main.

6

Deux fois trois,
trois fois deux,
c'est au choix !
Pour vivre heureux
il suffit de laisser
l'autre compter
comme il le veut.

7

C'est, dit-on, le chiffre parfait,
l'indivisible,
celui qu'on prend pour cible
et dont on sait
en toute langue faire usage :
les sept jours, les sept Sages
et les sept merveilles du monde,
et les sept péchés capitaux
à leur tour entrent dans la ronde.
Sept par monts, sept par vaux,
de grâce, c'est assez !

8

Ces anneaux
l'un sur l'autre
bien soudés,
placez-les
côte à côte...
ce ne sont plus que des zéros !

9

Trois par trois
les neuf Muses
parfois s'amusent,
à quoi ?
À faire la preuve par neuf
que tout ce que l'on croit
découvrir... sort de l'œuf.

0

Et moi, dit le zéro,
me comptez-vous pour rien ?

Devant vous je sais bien
que je ne vaux
pas autre chose,

mais *après vous,* messieurs,
ouvrez vos yeux :
quelle métamorphose !

Jean VUAILLAT

13

Extraits d'un dictionnaire imaginaire

ACCABLÉ

Qui est privé de câbles. Un village accablé est un village qui n'a pas l'électricité. Par extension, être accablé signifie aussi être triste, comme lorsque la télévision est en panne.

DOMINER

Textuellement : miner le DO, première note de la gamme. Autrement dit, émettre un Do approximatif. Chanter faux. Dominer un instrument de musique veut dire que l'on en joue extrêmement mal.

DÉNOMINATEUR

De « dé » privatif et de « nomination ». Qui ne donne pas le nom exact. Celui qui déforme les noms pour rire et se moque du nom des autres. Lorsqu'il le fait sans humour et avec vulgarité, il est appelé « dénominateur commun ».

ÉCOLOGISTE

Architecte spécialisé dans la construction des écoles. Les écologistes portent souvent des chemises vertes, le vert étant la couleur actuelle des tableaux noirs.

POLITIQUE

Insecte parasite bien élevé. Contrairement au moustique, le politique vous demande toujours l'autorisation avant de vous piquer.

Jean-Louis LE DIZET

16

DE DRÔLES DE GENS

Gamme poétique

« Do-do-do dodo ! » disait le piano
Qui ne pensait qu'à dormir
« Ré-ré réveillez-moi
Du bout bout bout des doigts
Quand viendra l'heure du concert... »

Mi-mi minuit sonnant,
Une main puis deux le touchent
« Trop fa-fa fatigant ! »
Dit le piano qui s'recouche.

« Insol-sol... insolent ! »
Le pianiste est en colère :
« En voilà-là des manières !
Si si si j'en f'sais autant
Tout irait decrescendo... »

Do-do-do dodo...

Stéphanie TESSON

Merceuse pour mioloncelle

Ma Mélina
Mêla mes mots
Méli-Mélo
Mon matelot
Mélo-Méli
Mélancolie
Méli-Méla
Mon matelas
Ma Mélina

Mathilde MARTINEAU

32, 49, 56

Ronde

Mon songe
M'enlace
Émoi
Que j'aime

Mensonge
Me lasse
Car moi
Je t'aime

Mon songe
Me lasse
En moi
Essaime...

Mensonge
M'enlace
Et toi
De même...

Sylvaine GARDERET

28

Quelques holorimes

Protestation de mélomane
Ah, ce qu'on sert de faux « ré »
À ce concert de Fauré !

*

Accueil en musique dans une chaumine
La mazurka de Chopin t'honora
dans
La masure qu'a de chaux peinte Honorat.

*

Il est d'or et toujours debout
dans le Faust *de Gounod*
Volumineux
Veau lumineux.

*

Définition de l'aubade
Concerto
Qu'on sert tôt.

*

Le Penseur *de Rodin*
    Haut, monumental
    Homme au nu mental.

*

Remise à un agronome
d'une décoration très méritée
    Fait licite, l'assemblée
    Félicite l'as en blés.

Lucienne DESNOUES

Mystère

Marchant machinalement,
Max, musicien, murmurant
Menuet, mambo, mazurka,
Médite. Ma Marinette,
Magnifique majorette
Mai, merise, mimosa,
Mezzo-sopran'manifeste,
Minaudeuse mais modeste,
Montait ma motocyclette.
Max, marmonna Marinette :
Minuit, métro Montparnasse,
Mission Mistapopoulas

Mathilde MARTINEAU

Courrier poétique

Lara Opéra
1, rue du Choléra
Niagara

Lumineuse
Admirable
Rieuse
Artiste

Loufoque
Abominable
Repoussante
Avare

Évelyne WILWERTH

2, 3

Adresses au facteur

Facteur, si tu y penses,
va-t'en rue des Balances
poster sans la peser
cette lettre à Clémence.

*

En oubliant tes amours mortes,
apporte ces fleurs à la fille
qui sourira, ouvrant la porte
au 2, sentier de la Bastille.

*

Vingt-quatre, rue Drufin,
à l'étage deuxième,
vit la femme que j'aime,
qui le saura demain.

Carl NORAC

3

La tasse anglaise

La tasse de porcelaine anglaise
Maîtresse du service à thé Prend ses aises
Elle le trouve vraiment très confortable
Very Very
Plus confortable en tout cas
Que sa vieille tante
De socle anglaise
Qui tricote des rides
Et se tasse
Se tasse
Au fond de son anglaise tasse

Marie-Hortense LACROIX

10

Prénoms prédestinés

Annie vend du pastis,
Et Marthe des fourrures,
Gine est femme de chambre,
Jeanne femme au foyer,
Charlotte ménagère,
Julienne cuisinière,
Clémentine fruitière,
Berthe belle crémière,
Madelon vivandière,
Roseline fleuriste,
Violette bouquetière
Marguerite d'été,
Margotine d'hiver,
Justine Désirée,
Christine « bondieuseuse »
Et Marie marinière
Me menant en bateau
Au large du courant.

Michel MARTIN

4, 30

Deux à deux

Cosette, hautaine, hardie, écrin touchant
causait aux Thénardier crainte ou chants.

*

Si terne est le son à l'ouïe,
sous les grandes odes, vers saillent.

Citernes, elles sont à Louis
sous les grandes eaux de Versailles.

*

C'est l'acacia, l'invitation,
c'est là, qu'assis, Alain vit à Sion.

Claude KŒNIG

28

Leurs qualités

Le très bel Abel
L'exquis Alexis
La fidèle Adèle
Et la lisse Alice
Le rare Gérard
La dense Florence
Le charmant Armand
Le facile Basile
Et le très gai Guy
La docile Odile
La câline Céline
La belle Isabelle
La fine Delphine
La sereine Reine
Le long Odilon.

Relis Amélie
Ce méli-mélo
Mais pas au galop.

Jean LESTAVEL

4, 30, 32

Souvenir d'Écosse

Fabuleux personnage il va
Au travers des murs pas à pas
N'entendant plus rien que sa peine
Tremblant et tirant sur ses chaînes
On a peur de lui dans le noir !
Mais quand minuit sonne, au revoir,
Effaçons son nom du poème.

Mathilde MARTINEAU

2

Lecture

Lis-la
La lettre, Louise,
Lentement
Laisse luire les lanternes
Limpides
Leurs languissantes
Lueurs lissent
Les lambris
La liesse longtemps légère
Libellule
Lustrera
Les lèvres

Violette BORDON

Sont-ils bien là ?

Les vagues provoqué par le vent vont s'éclater loin des digues convenables, sur des routes interdites. Oubliant la courbe de mes humeurs j'interroge mes proches compagnons. Sont-ils bien là ? Tous ces drôles qui souvent grâce au mouvement des vagues

Sylvain Resse-Marest

Le tapissier et le pâtissier
ou
Leçon de diction et d'articulation

Un pâtissier faisait de la pâtisserie,
Son voisin tapissier de la tapisserie.
Lorsque le pâtissier fait sa pâtisserie
Sa pâtissière fait de la tapisserie,
Quand le tapissier vaque à sa tapisserie
Sa tapissière cuit de la pâtisserie.

Aussi retrouve-t-on des clous de tapissier
Dans la pâtisserie du voisin pâtissier,
Aussi retrouve-t-on les choux du pâtissier
Sur la tapisserie du voisin tapissier.
Et comme leurs moitiés sabotent leurs métiers,
Leur industrie et leur commerce en pâtissaient.

Moralité

Pâtissiers, pâtissez ! Tapissez, tapissiers !
À chacun son métier ! À chacun sa moitié.

Bernard LORRAINE

60

Fatras du boulanger

Mon berger est un veilleur
Sais-tu ? C'est le boulanger.

Mon berger est un veilleur
Sais-tu ? Il est au verger
Et belle étoile du bonheur
Se lève tard de bonne heure
Qui sait quand viendra manger
Son pain, sa mie est âgée
Car l'heure est au potager
Cueillir fleurs et orangers
Ni temps pour lui ni valeur
Ne compte pour son beurre
Sais-tu ? C'est le boulanger.

Sais-tu ? C'est le boulanger
Mon berger est un veilleur.

Sais-tu ? C'est le boulanger
Pour rien il sait louanger
Petit chat va le déranger
En prenant soin de le ménager
Car il se lève de bon cœur
À marée du bon passeur

Comme la femme du pasteur
Dont le pain est le meilleur
Chacun sait qu'il est prieur
Mon berger est un veilleur.

Jean OLIVIER

Les rues de ma ville

Voici des noms de vieux métiers
Les vitriers, les mulatiers

Des noms qui disent le bonjour
Nous appelant dans la nature :
Bel Air, Beauregard, Beauséjour
Beauvallon et Bonne Aventure

Voici des arbres et des fleurs :
Les deux ormes, les rosiers
Les amandiers, les peupliers
Non loin de la rue des Flâneurs,

Des rues sans aucun agent
Pour sauvegarder leurs trésors
rue de la Fontaine d'Argent
Du Bras d'Or et de l'Aigle d'Or.

Des rues qui ne font pas la fière
La Louvière, la Poudrière

Pour moi, il est des noms étranges
Rue de la Commanderie
Des Allumettes et des Granges
Du Four et de la Fonderie

Enfin voici les poètes
André Chénier, Blaise Cendrars
Devant vous, je baisse la tête,
Victor Hugo, Paul Éluard.

Jean LESTAVEL

21, 30

La course alphabétique

Dans la course on a
tout un alphabet.
Les gens voient passer
des trucs démodés
longtemps devant eux.
Quel défilé ! Bref :
des teufs-teufs âgés.
Parfois un pneu lâche
mais il y a pis.
Panne de bougies :
dans un grand fracas
on emboutit l'aile !
D'autres sans problème
    élégamment freinent
    évitant l'auto
    qui a dérapé :
    on n'a plus d'accus !
    Un bolide vert
    à pleine vitesse
    n'a pu éviter
    le mur du talus :
    radiateur crevé !
    Chacun double V
    du colosse Alix

173

gars des pays grecs
poussé par ses aides !

Michel-François LAVAUR

Les sentiments en images

La colère a des lèvres rouge sang
La mélancolie erre sur la grève
La joie fait tournoyer ses longues jupes
La jalousie se griffe le visage
Le désespoir s'effondre sur son lit
Le bonheur gravit l'échelle du ciel
La tristesse enfile une robe grise
L'espoir s'élance en ouvrant grand les bras
La peur grelotte dans son manteau pâle
Et moi je savoure l'instant vibrant

Évelyne WILWERTH

29

Le ticket du toqué

J'ai des tics
vraiment toc,
je confonds trique
et troc,
stick
et stock,
l'Attique
et l'Ithaque
la cloque
et la clique
le mastic
et le mastoc,
le schnock
et le snack,
le bock
et le bac,
un vrai micmac
pas comique !

J'ai des tocs
vraiment tic
non, euh... des tics
vraiment toc.

Roland LE CORDIER

4, 30

La vieille au verre de vin

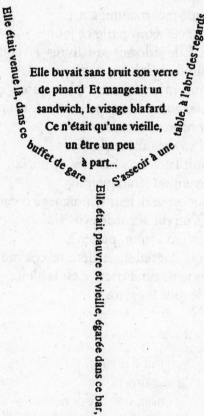

Elle était venue là, dans ce buffet de gare

S'asseoir à une table, à l'abri des regards.

Elle buvait sans bruit son verre
de pinard Et mangeait un
sandwich, le visage blafard.
Ce n'était qu'une vieille,
un être un peu
à part...

Elle était pauvre et vieille, égarée dans ce bar,

Ayant pour seul plaisir la fumée des cigares.

Isabelle LARPENT

10

Règlement de compte

— Interrogez-moi maintenant.

— De quoi avez-vous parlé ce jour-là ?

— Troyat. Elle adorait ses livres et ceux de bien
    d'autres, hélas.

— Catherine m'enchantait, plus qu'un quatrain et
    d'Alexandre j'étais son alexandrin préféré.

— Synchronisez vos violons !

— Sinon il va devoir vous arrêter !

— Cette nuit-là, vous vous êtes disputés ! Vos voisins
    peuvent en témoigner.

— Oui, tout est vrai, leur témoignage comme le mien,
    mais on dit accordez vos violons.

— Ne faites pas l'idiot, parlez !

— Disputes, querelles, je déteste ces mots, j'avoue,
    mais je ne dirais rien, c'est la gloire des vaincus.
    Et de tous les zéros.

Zohra KARIM

2, 13

Songeuse solitaire

Suzanne, si séduisante,
Se sent songeuse soudain,
Sans son sage séraphin,
Sans sa sœur, sans sa servante,
Sans savoir si ses secrets
Ses songeries, son silence,
Seront subtiles souffrances...
Sinon surprises sacrées !

Noël PRÉVOST

56

*

« Vieux linges, vieux drapeaux ! »

Le petit bleu du télégraphiste
Le petit blanc avec du Vichy
Le petit rouge avec un œuf dur
Laissent flotter un air d'autrefois
Comme le cri des vieux chiffonniers.

Michel MARTIN

30

La Bavarde et le Médecin

Dame Élise ayant jacté
   Sans arrêt,
Se sentit bien malheureuse
Son beau caquet en veilleuse :
Pas même un filet de voix
Pour conter son désarroi.
Elle entra chez son docteur
Avec un bouquet de fleurs,
Le suppliant des deux mains
De trouver vite un moyen
De lui rendre la parole.
« Non content de mon obole,
Vous aurez tous mes amis
Comme clients, c'est promis. »
Le docteur hocha la tête
En lisant ces quelques mots :
« Dès que vous parlez tout haut
C'est pour médire à tue-tête ! »
« Je veux bien prêter serment
De tenir ma langue encor... »
— Puisque le silence est d'or,
Vous êtes riche à présent !

Micheline DUPRAY

23

D'après la fable de La Fontaine : *La Cigale et la Fourmi.*

Quatrains à rimes riches

À de grands travailleurs bourguignons

Contre les maux qui compromettent vos picrates
Vous soufrâtes.
Mais, vignerons, quelle fatigue après ces rites
Vous souffrîtes !

*

L'enlèvement en fusée pendant la guerre de Troie

Ayant suivi ce bel Hellène
Vainqueur de paris spaciaux,
À son hublot, la belle Hélène
Suppliait : « Pâris, pas si haut ! »

Premier festin d'amoureux sur la Lune

Quand les gemini Stanislas-Andrée,
Leur fanion flottant sur la cendrée,
Dans un cratère, et dans de l'or, dînèrent,
Ce fut un soir sortant de l'ordinaire !

*

Menace d'orage

Le ciel se rembrunit, bredouille,
Grogne, ne se décide pas.
Et le chasseur rentre à grands pas,
Prudent, désappointé, bredouille.

Lucienne DESNOUES

Les estivants

Comme un vol de moineaux hors de leurs nids banals,
Lassés de travailler semaine après semaine,
De Pantin, de Clichy, ouvriers à la chaîne
Partaient, pour oublier leur ennui infernal.

Ils allaient explorer un monde original
Que la Côte d'Azur sous le ciel bleu déchaîne,
Et leurs autos bondées formaient comme une traîne
Au long des autoroutes aux rebords de métal.

Chaque jour, espérant que le soleil les pique,
Le pastis, l'aïoli ou le poisson en bisque
Parfumaient leur haleine et les faisaient chanter ;

Ou, lovés dans le fond de molles balancelles,
Ils regardaient passer, sur le port, la jetée,
Des filles très bronzées qui charmaient leurs prunelles.

Jean ORIZET

43

Charades

Mon premier a été sanctifié,
Et mon second n'est plus.
Mon troisième est cossu,
Mon quatrième Cantonnais,
Et mon tout, fut l'ami d'un prince en culottes courtes...

(Saint – Ex – Huppé – Riz : Saint-Exupéry)

*

Mon premier reste toujours sincère,
Mon deuxième est produit par un ver,
Mon troisième est hélas périssable,
Mon quatrième interminable,
Mon tout poétisa le sort des morts sur le gibet...

(Franc – Soie – Vie – Long : François Villon)

Maxence PRZYBOROWSKI

12

Sextine aux six lézards et six souris

Un triste jour, tel gentilhomme perdit sa dame.
Se remaria : la nouvelle chaussa les pantoufles
De la première, et ses deux filles elle cousit d'or,
Tandis qu'au grenier du logis, en vieux habits
Rapiécés, l'enfant du premier lit, Cendrillon,
Sans gémir, voyait ses viles sœurs rouler carrosse.

Le fils du roi donnait un bal et en carrosse
Les sœurs voulurent y aller, mais point Cendrillon.
« Allez, Cucendron, prépare nos meilleurs habits.
Velours, diamants, nous n'irons pas en pantoufles.
Coiffeuse, faiseuse, nous voulons avoir l'air vraies
        dames !
Mouches, cornettes, manchettes, godrons : tu as des
        doigts d'or. »

Sœurs en joie, Cendrillon en pleurs. Un jour encor,
Et vient le bal. Soudain paraît marraine. La dame :
« Au bal, ma fille, tu veux aller, en ces pantoufles ?
Va sous l'arrosoir ; ces six souris, Cendrillon,
Seront chevaux ; un potiron fera carrosse.
Je transformerai tes haillons en beaux habits. »

Un rat : cocher, six lézards : laquais en habits :
Attelage princier pour un tout doré carrosse.
« Voici pour toi pantoufles de vair, Cendrillon.

Attention, ne dépasse point minuit », dit la dame.
« Sinon carrosse : potiron, chevaux : souris ; l'or
L'argent, les pierreries, et de vair les pantoufles,

Disparoîtront »... Joie : le dauphin la voit ! Pantoufles,
Menez-la jusqu'à lui, Prince Charmant au cœur d'or.
Silence, violons ! Qu'est cette inconnue ? Roi et dames,
Oranges, citrons, danses... Révérence. Vite au carrosse,
Vite à la maison ; en tablier, vieux habits,
Bâillant, ouvrir aux sœurs : « C'était beau,
                                        Cendrillon ! »

Bal du lendemain. Minuit : trop tard, Cendrillon !
Te voilà avec une pantoufle, en vieux habits.
Essais de pieds par un gentilhomme en carrosse :
Gagné ! Marraine d'un coup de baguette fait de l'or.
Et parée, Cendrillon, dans le vair des pantoufles,
Au palais devient reine, de ses sœurs fait des dames.

Cendrillon en *pantoufles,* beaux *habits* cousus d'*or,*
Deux bals la font reine, potiron devient *carrosse,*
Au royaume enchanté, le vair, fruit de la *dame.*

Chantal ROBILLARD

———
55

Vanessa

Va mon enfant au premier bal, prends garde
À ce lieu si aimable où règne l'inconnu,
N'écoute pas tous les oiseaux qui chantent,
Écoute le joli bruit où te parle la valse,
Salue le Prince Charmant emplumé comme un coq,
Songe qu'un jour d'autres t'aimeront,
Arborant un bouquet d'épis pour couronne.

Andrée SODENKAMP

2

Au bois dormant

J'étouffe cette année sous le poids de l'oubli
Voici un an que dans ces bois je suis au lit
Lit de feuilles et de vent aux brassées juvéniles
Qui jouent avec moi sous les arbres loin des villes
Oubliée et perdue que je suis, sans personne
Nul viendra jamais me chercher, je m'abandonne
Aux amis inconnus, aux insectes invisibles
Je parle de ma vie sous un soleil risible
Qui me comprend et m'approuve me réchauffant
Si je vis je ne sais, je ne suis qu'une enfant.

Jean OLIVIER

Les deux ogres

Autrefois deux ogres gloutons
terrorisaient notre canton.

Or un beau jour
les malheureux
se rencontrèrent
le ventre creux —
si creux,
si creux,
si douloureux
que (qui l'eût cru
entre beaux-frères ?)
tous deux tout crus
s'entrebâfrèrent.

Depuis lors, dans notre canton,
oubliant les ogres gloutons,
on ne craint qu'une seule épreuve,
c'est de rencontrer les deux veuves.

Jean-Luc MOREAU

52

Vers arlequins

L'ogre géant prépara des grillades
Le gros Lucas, fermier breton
De petites explosions vertes

Il y avait des cœurs au balcon
– Pitié pour eux qu'un bruit, qu'une ombre inquiète –
Ne tapez plus du talon
– Elle faisait ça depuis perpette –
Peignez d'abord la barbe, et vous aurez le reste.

Jacques SIMONOMIS

11

Ces vers sont tous extraits de poèmes parus dans *Le Rire des poètes* (Hachette Jeunesse, 1998, collection « Fleurs d'encre » et sont respectivement de :

1. Lucienne Desnoues, page 72,
2. Jean Joubert, page 86.
3. Andrée Sodenkamp, page 178.

4. Claude de Burine, page 117.
5. Bernard Jourdan, page 183.
6. Robert Vigneau, page 148.
7. Jean l'Anselme, page 136.
8. Luc Decaunes, page 182.

Détournement de vers

La chambre est pleine d'ombre ; on entend vaguement
Nos deux cœurs exhalant leur tendresse paisible ;
Et pourtant je vous cherche en longs tâtonnements...

Des projets de mon cœur ne prenez point d'alarme,
Cessez d'être charmant, et faites-vous terrible !
La nuit plus que le jour aurait-elle des charmes...

Sylvaine GARDERET

11

Ce poème est constitué de vers empruntés à divers poèmes célèbres :

1. Arthur Rimbaud, *Les étrennes des orphelins.*
2. Paul Verlaine, *N'est-ce pas ? (La bonne chanson).*
3. Paul Verlaine, *J'ai répondu : Seigneur... (Sagesse).*

4. Molière, *Les Femmes savantes,* I, 3.
5. Pierre Corneille, *L'Illusion comique,* II, 2.
6. Louis Aragon, *Ce que dit Elsa (Cantique à Elsa. Les yeux d'Elsa).*

Métamorphose

Métamorphose ton âme
Mê-
Me si longtemps elle chanta
Ta
Vaillance d'homme d'Armor
Maure,
Alors *mets ta mort fausse*
hors
Fosse.

Gérard LE GOUIC

2, 18, 28

*

Le souffleur

Pour ne pas perdre le bonheur
Comme Cendrillon sa pantoufle,
Ce n'est pas qu'on manque de souffle...
Mais il nous manque le souffleur !

Daniel ANCELET

30

Rencontre

À la première asymptote, je me suis montré d'une très grande compacité. Je n'osais pas lui déclarer mon intégrale. Donc je me contentais de regarder ses fractales.

J'aurais voulu lui parler de sa continuité, de sa variance, de ses moments d'ordre deux ou supérieurs. Ses splines m'obsédaient.

Finalement c'est elle qui m'a embrassé.

La matrice a tourné autour de moi, une enveloppe convexe est montée à mes vecteurs.

C'est de la récursivité, c'est sûr.

Nathalie FRANÇOIS

47, 49

A. B. C. de la paix

Aux bannis, coupables d'exister,
Faites grâce.
Honorez indistinctement
Juif, Kirghiz lettré, manœuvre nigérian.
Oubliez peines, querelles,
Réconciliez serpents, tourterelles.
Unissez-vous Walda, Xavier,
Yamaguchi, Zoé.

Robert KEMPENERS

1

LES POÈTES ET LEUR POÉSIE

Poésie hebdomadaire

La poésie du lundi
Mardi je la lis
Mercredi je l'oublie
Jeudi je la dis
Vendredi aussi
Samedi je la crie
Dimanche
J'en change

Joël SADELER

Elle...

Passionnelle, engagée,
Ouverte sur le monde
Essentielle et vivante
Sensuelle de par ses ondes
Île aux mille surprises
Elle coule comme du sable...

*

Lui...

Plus fougueux que la foudre
On le dit prétentieux
Éternel amoureux
Mettant le feu aux poudres
Émouvoir lui tient à cœur.

Sylvain RESSE-MAREST

Le poète et la ▓

Le poète parlait un jour ainsi à la ▓ :
« Ah ça, par ma mous ▓ !
Si tu continues, nom d'une pis ▓,
À ▓ er mes brouillons sans relâche,
Je ne suis ni ▓ ron ni po ▓,
Je me fâche et je t'at ▓ ! »

La ▓ répondit, l'air bravache :
« Si tu veux que je me dé ▓,
Tu n'as qu'à, dans ta pa ▓,
Aller ▓ ter une hache
Et ▓ donc, mon bel Apache,
De m'arracher avec panache ! »

Le poète prit alors l'insolente ▓
Et la cheta dans les nuaches
Du haut du dix-septième é ▓ ...

Marie-Hortense LACROIX

35

Les poètes sont...

Tous les poètes sont
Des matelots du ciel,
Qui naviguent au son
D'une lune de miel.

La plume est leur outil
La foi leur papier,
Ils sont les apprentis
Du monde tout entier.

Ils s'en vont les pieds nus
À travers les nuages,
En sculptant c'est connu
Des vers et des adages.

Leur sang est encre noire
Verte jaune ou bien beige,
Qu'importe c'est notoire
Pour tout un florilège.

Ils peignent des idées
Des faits ou bien des gestes,
Un menuet sur papier
Une muse céleste.

Ne leur demandez pas
D'être ou de devenir,

Car ils vont pas à pas
Seulement refleurir.

Ils sont intemporels
La tête dans le vent,
Et leurs souliers si frêles
Tournés vers le couchant.

Aux taches de soleil
Ils marient des étoiles,
Une pure merveille
Quand l'hymen se dévoile.

Ils n'ont pas de besoins
Si ce n'est quelque mot,
Ou bien quelque chagrin
D'un verbe toujours beau.

Donnez-leur une phrase
Une situation,
Ils en feront l'extase
D'une génération.

Vous pouvez leur confier
Vos amours vos secrets,
Ils seront cultivés
Sans jamais un regret.

Marc ÉTIENNE

Remontoir

Le couvreur
Remonte le toit

L'horloger
Remonte la pendule

L'entraîneur
Remonte le moral

Le magicien
Remonte le temps

Quant au poète lui...
Il essaie de remonter les cœurs

Pour un petit tour de bonheur

Claude HALLER

30

Dans mon corbillon

Ce qu'on met dans mon corbillon ?
Mille objets en *on*, sans problème !

*

De l'eau tournant sur elle-même,
Cela s'appelle un...

*

Un bel insecte dont on aime
Le vol folâtre ? Un...

*

Avant que le laboureur sème,
Il devra creuser son...

*

Souillon en haillons, mon baptême
Me vient de mes sœurs :...

Jean MALAPLATE

17, 53

Palindromes croisés

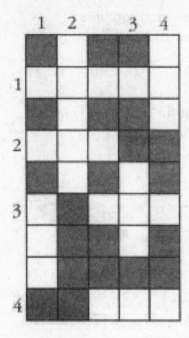

1 2 3 4

1

2

3

4

HORIZONTALEMENT

1. De la terre, il repère les avions dans les airs.

2. Entre-deux d'un sous-marin ou bien d'un spatial engin.

3. Musical ou sculptural, cet art a ses festivals.

4. Avant bas, il est terre et de là le contraire.

VERTICALEMENT

1. Au paradis, Adam et elle ont serpenté sur l'arc-en-ciel.

2. Il est le canot de peau, cher au chasseur esquimau.

3. Il se dit avec la tête en tous lieux de la planète.

4. Ce perroquet d'Amérique luit comme une mosaïque.

Pierre CORAN

36, 40

Poème carré

à Jean Lescure

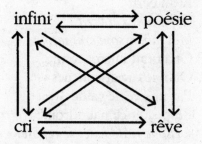

L'infini de la poésie rêve d'un cri
Infini, rêve de ce cri et de poésie
Cri, rêve de poésie et d'infini
La poésie rêve, c'est infini, c'est un cri
Rêve car voici le cri infini de la poésie

Daniel BRUGÈS

46

La fable

Si La Fontaine
À l'instar de Roussel
Avait écrit :
Comment j'ai écrit
Mes fables souveraines,
On aurait mieux connu
Qu'il les avait conçues
Par une règle vaine
Respecter ce palindrome :
« *Esope reste ici et se repose.* »

Sylvestre CLANCIER

40

*

L'esquimau

Puisque la rime est un délit et même un crime,
Je devrais dès ce jour ne plus écrire un mot :
Et pourtant, malgré moi, je m'échine et m'escrime...
Car c'est en s'escrimant qu'on devient esquimau.

Daniel ANCELET

30, 53

Sonnet sans fleurs ni couronnes

Dans la famille Rime sans raison aucune
Je demande le Grand-Père Auguste
Mais il est mort en criant gare
À la fin du premier quatrain

Dans la famille Rime j'appelle Étiennette
Sa veuve éplorée mais sans plus attendre
À la césure elle vient de se pendre
Au quatrième vers du second quatrain

Dans la famille Rime leur fille Claudia
Muse à Papa les a rejoints d'un leste en-
Jambement à hue et à dia au premier tercet

Dans la famille Rime Marie-Cécile et France
Line pleurent toutes les larmes élégiaques
Accumulées de Rime en Rime au dernier tercet

Épilogue

Les petits enfants de la famille Rime
Jouent au tercet jouent au pantoum
Au fond du jardin des Alexandrins
Ils roulent en distique vont en virelai
Aux quatre coins des mots du poème
De la ballade ils sont fous dès qu'ils en
Jambent les hémistiches et leurs rondeaux
Sont les cerceaux qui leur serviront
D'auréoles quand de rejets en contre-
Rejets ils rejoindront Auguste Étiennette
Claudia Marie-Cécile et Franceline
Dans leur linceul d'élégies et qu'ils feront
Pour pas un rond et rond petit patapon
Les délices diaprées des vers libres...

MÉNACHÉ

Plantes combinées

une racine verte offre éminemment belle une fleur trop
ouverte à la mise nouvelle en une souche inerte elle
montre dentelle une lumière alerte à sa suite réelle

Bertrand GOYET

44

*

Le poète

L'animal anima l'
Île. Il
La chanta, lâchant à
L'Orient, l'eau, riant
Des notes salées. Dénotent sales et
Poisseux, pouah, ceux
Que ces dons – que c'est donc
Fâcheux – fâchent, eux,
Et lassent, hélas.

Violette BORDON

28

La guerre des noms composés

Jadis, dans nos contrées
Les mots avaient l'habitude de se faire la guerre
Une terrible bataille s'engagea un jour
Je m'en souviens encore
Entre des hordes de noms composés

Les bâtons-lavoirs s'en prirent aux rateaux laveurs
En pleine corvée de lessive
Les sèche-frites fondirent en hurlant sur les pèse-
                                                cheveux
Qui y étaient presque
Tandis que fuyaient les lèche-majesté
Poursuivis par les lèse-personnes
Les Robin-Marie n'eurent aucune pitié des robots-
                                                des-bois
Les croque-noisettes, qui étaient de paisibles
                                                herbivores,
Furent vite décimés par les casse-oreilles
Mais les pires cruautés, d'après les chroniques de
                                                l'époque,
Furent commises par les presse-monsieur et les perce-
                                                citrons

C'est alors que, furieux d'avoir été réveillé
Intervint enfin le vieux dictionnaire
Emmitouflé dans son bonnet de verre et sa laine de nuit

Qui remit de l'ordre là-dedans et enferma tout le
monde
Avant de retourner dormir dans le grenier d'Hugo

Marie-Hortense LACROIX

32, 44, 49

Un petit rien

Un grammairien
Norvégien,
Voulant devenir historien
S'enquit auprès d'un presbytérien
Pour savoir comment en prendre le chemin.
Plaît-il ? lui répondit l'épicurien
Tu n'es déjà qu'un vaurien,
Un bon à rien,
Et tu veux devenir victorien,
Napoléonien,
Peut-être même pyrrhonien !
Reste donc grammairien,
Et occupe-toi de tes collégiens
Qui en ont bien besoin.

Marc ÉTIENNE

34

Pour écrire...

Pour écrire un p
Oème, il faut aimer la po
Ésie, avoir un peu d'imagination
Si possible et trava
Iller, travailler – c'
Est la clé de la réussite.

Michel MONNEREAU

2

*

Al Dente

Je suis le vénéneux, le bœuf, l'inconcilié
Le pince capitaine à la mer dépolie
Ma veule étable est porte et mon but contesté
Poste le sommeil loir de Mésopotamie.

Zohra KARIM

42, 49

À chaque lettre...

À chaque lettre de ce mot
Commence une ligne nouvelle
Retardant le moment auquel
On en découvrira le bout...
Si vous n'avez pas la patience
Toutefois de lire le tout
Il vous suffit – c'est entre nous –
Catapultant les bienséances,
Hardi ! d'allier chaque initiale
Et d'un seul coup d'œil vertical
Sans délai, le mot se révèle.

Stéphanie TESSON

Disparition

Il partit... Pour où ? Qui l'a su ?
Quand ? Pourquoi ? Qui donc l'avait vu ?
Dissous dans un brouillard furtif,
Il a disparu, fugitif
Qu'on voudrait pourtant ici voir...
Où ? Quand ? Pourquoi ? Qui va savoir ?

Claudette VILLIA-CHANTRIE

31

Groins valseurs

Celui qui hait ses yeux sa tête
la peau la face le dedans
dites-lui bien qu'il soit prudent
qu'il regarde ce qu'il achète

On trouve tant de girouettes
de vieux masques de brèche-dents
et de clins d'œil peu regardants
Beaux enfants Soyez qui vous êtes

Un cerveau qui a trop pensé
un visage de tout le monde
un poil quelque peu hérissé

valent mieux que la hure immonde
des fanfarons qui font la ronde
sur les manèges de Circé

Michel CALONNE

Poings passeurs

L'ennui qui met ses jeux sa fête
à l'eau à glace à cheveux blancs
brise ses liens et broie des dents
la Camarde dans ses cachettes

Il souffle un vent tueur de mouettes
de dieux flasques de ciels stridents
et de ces vieux buissons ardents
Ô vivants jetez qui vous jette

Un caveau pour le trépassé
un lit tiède pour l'homme au monde
À son poids que chacun pesé

jette au feu l'épure inféconde
des grands barons qui gèlent l'onde
sur les margelles du passé

Michel CALONNE

Poème moderne

Machination

Machine-nation   CHINE
                                                         Nation

              M

        Ma Chination

Ma   NUIT   Vendredi
                                                         RIEN

        Montélimar
        Montélimar
        Montélimar

                    POMME DE TERRE

La concierge est dans l'escalier

                                        Jean-Louis LE DIZET

Chemin de fer et poésie

Alarme ! Ne tirez la poignée qu'en cas de poème.

*

Ne jetez aucun poème par les fenêtres, ce geste peut tuer.

*

Pour avoir un poème, appuyer sur la pédale.

*

Actionner le poème et rabattre le couvercle.

*

En sortant, faites attention, la porte donnant sur le poème a pu être ouverte inopinément. Sortez avec précaution.

Gérard LE GOUIC

49

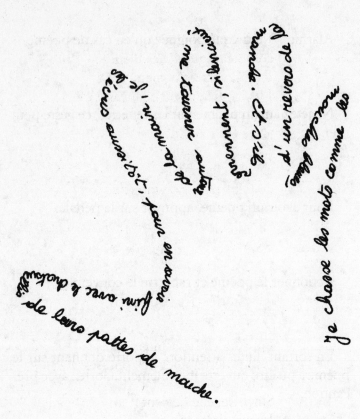

Carl NORAC

Les mots autour de la main

Je chasse les mots
comme les mouches bleues :
d'un revers de la manche.
Et s'ils reviennent silencieux
me tourner autour de la main,
je les écris aussitôt
pour en avoir fini
avec le chatouillis
de leurs pattes de mouche.

Carl NORAC

10

*

Étoile ou étincelle

Pour qu'elle soit plus belle,
Osons déshabiller nos phrases
Et nos pensées.
Surprise, elle devient
Imaginairement
Étoile ou étincelle.

Carl NORAC

2

Comment jouer avec les poètes ?
60 jeux poétiques pour tous les goûts

Les jeux poétiques sont nombreux, et ils existent depuis très longtemps dans toutes les langues. Dans la Poésie française, on en trouve depuis le Moyen Âge !

Pour jouer avec les poètes, c'est facile : il suffit de repérer les poèmes qui paraissent les plus séduisants et de regarder *le mode d'emploi* du jeu pour les imiter.

Tous les jeux sont numérotés, et on a indiqué pour chaque poème le jeu qui l'a inspiré.

Certains jeux sont si anciens qu'ils ont des noms qui paraissent bizarres aujourd'hui, des noms à peine prononçables, des noms qu'on croirait venus d'une autre langue – ce qui est parfois le cas, puisque certains viennent des poètes grecs de l'Antiquité. Des milliers d'années de jeu !

Il ne faut pas se laisser intimider par le nom savant : le nom peut être compliqué – et le jeu très simple.

Évidemment, il ne suffit pas de respecter les règles du jeu pour devenir poète. Écrire de la poésie, ce n'est pas seulement jouer avec les mots, les sons, les idées...

Avec ces jeux, on n'utilise que des procédés. De simples trucs. Mais, parfois, on trouve en passant le souffle mystérieux de la poésie, ce qu'on appelle *l'inspiration* qui permet au poème de s'envoler de la page où il était prisonnier des mots.

1 Abécédaire (poème)

Ce genre de poème cache un mystère très simple : les 26 lettres de l'alphabet commencent les 26 vers du poème. On peut prendre les lettres de l'alphabet dans l'ordre (A, B... jusqu'à Z), comme dans *Le chant alphabêtique* (p. 72), ou *Les L du temps* (p. 108). Ou bien, on peut suivre l'ordre inverse, comme dans l'autre *Chant alphabêtique* (p. 44).

Pour changer un peu, *La course alphabêtique* (p. 173) place l'alphabet à la fin des 26 vers, un alphabet qui n'est d'ailleurs pas dans les lettres, mais dans leur sonorité.

Ce genre de poème est une variété de l'**acrostiche** : au lieu de cacher un mot, il cache l'alphabet.

Une autre variété du genre : *A.B.C. de la paix* (p. 194) suit l'alphabet, en 26 mots placés dans l'ordre alphabétique de leur première lettre.

2 Acrostiche

C'est un petit poème qui cache lui aussi un secret. Pour le découvrir, il suffit de lire verticalement, de haut en bas, la première lettre de chaque vers. On découvre alors un ou plusieurs mots.

Les acrostiches sont nombreux dans ce livre. Dès le premier poème, *La fleur* (p. 10), on peut lire le titre de la collection : *Fleurs d'encre*. On trouve ensuite des acrostiches dans des poèmes consacrés aux animaux, *Bestiaire* (p. 14), *Pied au ventre* (p. 18), etc. De même dans les variations sur *la météorologie* (p. 74), sur la poésie : *Elle..., Lui...* (p. 198), *Pour écrire* (p. 213), *Étoile ou étincelle* (p. 221), etc.

On peut compliquer l'acrostiche en cachant le mot au début et à la fin des vers : *Il crâna moderne pastiche* (p. 114) laisse apparaître le mot « palindrome » au début des vers (de haut en bas) et à la fin (en remontant de bas en haut) ; quant au **palindrome**, le jeu est expliqué ci-dessous.

On peut même cacher le mot secret au milieu des vers, en diagonale, comme dans *Verbe préféré* (p. 64). La place des lettres du mot à trouver change avec chaque vers ; ici, le *i*, qui est la 7e lettre du mot « ensoleiller », doit être la 7e lettre du 7e vers.

L'acrostiche peut utiliser des lettres et des mots, comme *Où est la souris ?* (p. 21), dont la réponse est « sous mon nom ». Il peut finir comme il a commencé, par une interrogation : *?* (p. 96).

Plus subtil encore, *Le règlement de compte* (p. 178) a caché les nombres de 1 à 10 dans la première syllabe de chaque réplique.

Dans *Métamorphose* (p. 192), le mot est donné au début, en quasi-**holorime** dans le vers 7, en acrostiche de syllabes dans les vers courts.

Il convient évidemment que le sujet du poème soit le mot en acrostiche, comme dans *Vanessa* (p. 187).

3 Adresse

On indique toujours sur l'enveloppe d'une lettre le nom et l'adresse de la personne à qui on l'envoie. On peut le faire en vers. Si le petit poème est assez clair, le facteur portera la lettre au bon domicile : *Adresses au facteur* (p. 160).

On peut écrire des variations sur ce thème du *Courrier poétique* (p. 159).

4 Associations de sons, de mots, d'idées, d'images

Un mot peut en entraîner un autre parce que leurs sonorités se ressemblent, ou par ce qu'ils représentent. L'un peut suggérer l'autre.

Ainsi les sonorités d'*À tire-d'aile* (p. 66), des *Humeurs* (p. 77), des *Bizarreries* (p. 123), du *Ticket du toqué* (p. 176).

Les noms naissent des sonorités des *Ponts* (p. 90), des *Prénoms prédestinés* (p. 162), etc. On peut plaisamment associer « escrimant » et « esquimau » (*L'esquimau,* p. 206).

5 Au pied de la lettre

On prend une façon de parler « au pied de la lettre », quand on se représente ce que chacun des mots veut vraiment dire. Quand on est en colère, par exemple, « on monte sur ses grands chevaux » ou « on sort de ses gonds ». Il suffit de se représenter la scène au sens propre, comme celle de *J'aime la vérité* (p. 135) où le poète « met les pieds dans le plat ».

6 Babebines (Rimes)

C'est un système qui ne suit pas la règle traditionnelle des **rimes**, celle qui fait rimer, par exemple, *cœur* et *vainqueur.*

Les rimes babebines vont par 5, puisque ce sont les 5 voyelles utilisées dans l'ordre habituel (a, e, i, o, u), avec la même consonne devant pour les 5 vers, comme lorsque on apprend à lire : ba, be, bi, bo, bu. De là vient le nom qui a été donné à ces rimes par le grammairien Aristide.

On peut suivre ce système avec n'importe quelle consonne, avec le *r*, par exemple, comme dans *Au pêcheur de rimes* (p. 118).

7 Blason

Dans un blason, on fait le portrait de quelqu'un en détaillant ou en vantant l'une de ses qualités. Ici, c'est *Meï-Ling* qui est décrit, un superbe chat (p. 31).

227

8 Boule de neige

On fait grossir une boule de neige en ajoutant la neige poignée à poignée (jusqu'à en faire une grosse boule qui deviendra peut-être un bonhomme de neige !).

De la même façon, on fait grandir les vers en leur ajoutant à chaque ligne une lettre, ou une syllabe, ou un mot. On les fait grandir jusqu'à devenir un poème. On peut aussi les faire diminuer en retirant à chaque ligne une lettre, une syllabe, un mot : on fait fondre le poème. Quand les vers grandissent, on dit qu'ils sont croissants ; quand ils diminuent, ils sont décroissants.

Le poème élastique (p. 84) est croissant. Mais il a besoin d'être terminé. À vos crayons !

9 Boustrophédon

Dans ce nom bizarre, se cache le mot *bœuf*. Il renvoie à la façon dont on labourait : on traçait les sillons avec une charrue tirée par des bœufs, un sillon dans un sens, puis, arrivé au bout du champ, on faisait demi-tour et on creusait un sillon dans l'autre sens.

C'est la même chose pour certaines écritures. La nôtre s'écrit et se lit de gauche à droite, comme vous le faites en ce moment ; d'autres s'écrivent et se lisent de droite à gauche (comme l'arabe). Il a existé, dans l'Antiquité grecque, une écriture dont la première ligne se lisait de gauche à droite ; la deuxième en sens inverse, de droite à gauche ; la troisième de gauche à droite... Etc.

Sur ce principe, on peut écrire un poème en changeant le sens de l'écriture à chaque ligne, sans séparer les mots, sans ponctuer. Une façon comme une autre de cacher un secret. Pour rendre ce jeu plus difficile, donc plus intéressant, il faut essayer de respecter deux règles : que les vers riment ; que tous les vers aient le même nombre de lettres. En déchiffrant *Labourage* (p. 85) on lit :

> *Jadis les bœufs piqués de l'aiguillon*
> *Tiraient la charrue en calme lenteur.*
> *Maintenant on fonce avec le tracteur*
> *Mais on tourne encor au bout du sillon.*

10 Calligramme

C'est un poème qu'on écrit en dessinant la forme de l'objet, ou de l'animal, ou de la personne dont on parle dans ce poème, comme le faisait le poète Guillaume Apollinaire au début du XXe siècle, mais ce procédé existe depuis l'antiquité.

On peut dessiner le calligramme à la main, comme ceux du *Lapin* (p. 13), de *L'écureuil* (p. 24), de *L'araignée* (p. 37), du *Mille-pattes* (p. 47), du *Sourire* (p. 144), de *La tasse anglaise* (p. 161), des *Mots autour de la main* (p. 221). On peut ajouter des traits, comme ceux du *Colimaçon* (p. 20), du *Serpent* (p. 28). On peut disposer habilement les caractères d'imprimerie : *La Tour de Pise* (p. 113), *Sont-ils bien là ?* (p. 167), *La vieille au verre de vin* (p. 177). On peut mélanger l'écriture manuscrite et la typographie, comme dans *Enveloppe* (p. 100). Un vrai calligramme, c'est toujours un poème en rapport avec le dessin. Le déchiffrement, même difficile, fait partie du plaisir du calligramme.

11 Centon

On prend dans des poèmes qu'on aime un vers par-ci, un vers par-là, on les réunit – et on fabrique ainsi un nouveau poème, un peu comme un habit d'Arlequin est fait de divers morceaux d'étoffe cousus ensemble. Ou, si l'on préfère, un peu comme un Meccano ou un Lego monté pièce par pièce. Il est préférable de choisir des vers de même longueur, qui riment ensemble, et qui permettent de fabriquer un poème ayant une certaine unité.

Un délicieux mensonge (p. 112) emprunte ses 12 vers à 12 poèmes différents de 9 poètes, dont les références sont indiquées en note. De même, le *Détournement de vers* (p. 191) qui reconstitue un poème de 6 vers empruntés à 5 poètes. Quant aux *Vers arlequins* (p. 190) ils empruntent tous les vers à la collection « Fleurs d'encre ».

12 Charade poétique

La charade est un jeu bien connu : on découpe un mot en syllabes, chacune fait l'objet d'une devinette. Et quand on a résolu toutes les énigmes, on a trouvé le mot entier. On appelle chaque morceau « mon premier », « mon deuxième », etc. – et le mot à trouver, on l'appelle « mon tout ». La charade est « poétique » si l'ensemble forme un petit poème, comme dans *Les charades* (p. 184).

13 Chiffres et lettres

Avec 10 chiffres, on peut faire une suite de nombres sans fin ; avec 26 lettres, on peut écrire tous les mots, tous les noms, tous les livres. En combinant astucieusement les uns et les autres, on peut écrire des poèmes. On peut s'inspirer de la forme même des lettres pour inventer l'histoire du *H* ou du *D* (p. 92) ; on peut faire la même chose avec *Les chiffres* (p. 146).

On peut utiliser la sonorité de certains mots pour les remplacer par des lettres, comme dans *BBKC* (p. 131) – c'est-à-dire « Bébé cassé » – ou dans *Menu* (p. 132), dont on fournit la traduction en langue ordinaire. On peut même écrire un poème *Problème* (p. 145).

On peut encore cacher les 10 premiers nombres en **acrostiche** : ils se suivent dans les premières syllabes du *Règlement de compte* (p. 178).

14 Comparaison

Avec des « comme », on peut rapprocher le ciel et les yeux bleus, la cerise et la bouche rouges, les blés et les cheveux blonds, et tant de belles choses ! Ce sont des procédés très *Simples* (p. 130).

15 Comptine

Comme son nom l'indique, la comptine sert à compter dans les jeux. On l'utilise tous les jours pour savoir « qui s'y colle ». Il y a des comptines si vieilles et si célèbres, comme *Am stram gram,* qu'on ne sait plus qui les a inventées. Aujourd'hui, les poètes aiment bien en écrire de nouvelles. Pour bien les goûter, il faut les chantonner sur un petit air à inventer. On en trouve beaucoup dans ce livre.

16 Définition

On joue au dictionnaire, en inventant la définition d'un mot. Mais comme on s'amuse, on en donne une fausse, farfelue, qui n'est qu'une plaisanterie, mais avec tout le sérieux d'un vrai dictionnaire, comme dans les *Extraits d'un dictionnaire imaginaire* (p. 149).

17 Devinette

Elle pose une question à laquelle il faut trouver une réponse. Elle peut être posée sous la forme d'un petit poème. La devinette est la petite sœur de l'**énigme** ; mais elle est plus simple.

Le poème avec la rime qu'on attend peut aider à trouver la solution. Ainsi, dans *Des animaux à deviner* (p. 34), on trouve successivement *La vache, tourterelle, mouton, l'autruche*.

18 Écho (vers en)

C'est une façon d'écrire des vers : la dernière syllabe d'un vers assez long est reprise une fois par un seul mot, qui constitue la rime, comme un écho dans la montagne reprend le dernier son des mots qu'on lui lance. La difficulté, c'est de donner un sens au poème. On l'entend dans

L'écho du printemps (p. 62), *Manoir secret* (p. 140), *Méta-morphose* (p. 192).

19 Enchaînement

On reprend la dernière syllabe d'un mot pour qu'elle devienne la première d'un autre mot. On passe ainsi, par exemple, de *Sébastien* à *Tiens ton guidon*. C'est un jeu bien connu. Chaque syllabe est comme le maillon d'une chaîne.

Dans un poème, on reprend la dernière syllabe d'un vers, la rime, et on l'utilise pour commencer le vers suivant. On dit aussi, de façon savante, qu'on écrit des vers « fraterni-sés », ou « enchaînés », ou « annexés ». On en a des exemples avec *Myosotis* (p. 69), *Si tu vas à la mer* (p. 91), *Leila* (p. 126).

20 Énigme

C'est la grande sœur de la **devinette** ; elle est un peu plus difficile. On trouve dans le poème des renseignements exacts, mais un peu mystérieux. L'énigme peut être simple-ment l'ombre du **mystère** comme dans *Question* (p. 86) où il n'y a vraiment pas de réponse.

21 Énumération

On cite à la queue leu leu des choses ou des gens, en une espèce de liste qu'on organise autour des rimes, des rythmes, de la mesure des vers. Ainsi tout ce qu'on peut trouver au grand magasin de Paris, *La Samaritaine* (p. 94).

On peut énumérer les *Lieux-dits* (p. 99), *Les rues de ma ville* (p. 171), ce que nous mangeons avec *Bon appétit !* (p. 121).

22 Épigramme

On appelle ainsi un petit poème, souvent un peu moqueur : *Au bois dormant* (p. 188).

23 Fable

Le plus grand auteur français de fables est Jean de La Fontaine. Tout le monde connaît *La Cigale et la Fourmi*. Il a suivi dans ses *Fables* des modèles très anciens, en particulier ceux d'un poète de l'Antiquité grecque, Ésope.

Une fable, c'est une petite histoire, racontant une anecdote, avec une « moralité » qui en tire la leçon. Et les moralités des fables peuvent être contradictoires, comme le montre bien *La Chèvre et le Chou* (p. 54), suivant l'expression « ménager la chèvre et le chou », qui veut dire qu'on ne prend pas parti.

La fable met souvent en scène des animaux, comme *La Grenouille et la Cigale* (p. 53), *La Cigogne et le Renard* (p. 49), mais pas toujours (*La Bavarde et le Médecin*, p. 180).

24 Fatrasie (ou Fatras)

C'est un genre de poèmes un peu fous, qui existe depuis le Moyen Âge, où on écrit des vers qui sonnent bien – mais qui disent n'importe quoi. Dans une fatrasie, on peut écrire tout ce qui passe par la tête. C'est bien commode. Ainsi *La Fatrazizique* (p. 36), *La tête à l'envers* (p. 124), le *Fatras du boulanger* (p. 169).

25 Gamme poétique

On utilise les notes de la gamme musicale (do, ré, mi, fa, sol, la, si) pour écrire un poème (p. 59).

26 Grammaire (Règles de)

Il faut connaître les règles de grammaire par cœur – mais elles sont souvent rébarbatives. On en a fait parfois de petits poèmes qui permettent de mieux les retenir. Ce procédé « mnémotechnique » (en rapport avec la mémoire) était très courant jadis. On le retrouve dans *Arthur entre quatre murs* (p. 143). On peut aussi l'utiliser de façon amusante, comme le font *À tire-d'aile* (p. 66) et *Le mousse fait de la mousse* (p. 119).

27 Haïkaï (ou Haïku)

C'est une forme moderne de la poésie française, empruntée à la poésie japonaise classique. On lui donne en général 17 syllabes en 3 vers ; certains poètes lui donnent 3 vers de 5, 7, 7 syllabes. D'une façon générale, le mot a pris le sens d'un poème court, avec une belle image. On en a des exemples p. 78.

28 Holorimes (Vers)

Ce sont deux vers qui, sans avoir le même sens, se prononcent entièrement pareil. Autrement dit, au lieu de faire rimer 2 vers par la dernière syllabe, on fait rimer les 2 vers tout entiers ! Le plus difficile, c'est de conserver un sens à peu près convenable à chacun de ces vers. C'est un petit tour de force (ou de farce ?) dont on trouvera des exemples avec *Poème à voir* (p. 40), *Holorimes* (p. 106), *Question de temps* (p. 101) *Quelques holorimes* (p. 156) *Deux à deux* (p. 163), *Le poète* (p. 209).

On peut aussi placer dans des vers apparemment ordinaires des mots de même prononciation mais de sens différents comme *Un mot peut en cacher un autre* (p. 133). On peut également écrire des vers « presque » holorimes, comme *Ronde* (p. 155) ou *Métamorphose* (p. 192).

29 Image

L'image fait partie de la poésie. C'est une comparaison sans *comme*. « La neige couvre la terre *comme* un manteau », c'est une comparaison ; « le manteau de la neige », c'est une image. La poésie moderne aime mieux l'image que la comparaison. On en a des exemples un peu partout dans ce livre ; ainsi les *Haïkaï* (p. 78), *Les sentiments en images* (p. 175), *Le poisson rouge* (p. 195), etc. L'image peut être visuelle ou auditive : *Essaim* (p. 102).

30 Jeux de mots

Les jeux de mots permettent toutes les plaisanteries, plus ou moins astucieuses, le plus souvent en jouant sur la ressemblance entre deux mots. La poésie la plus sérieuse suppose toujours un certain jeu entre les mots, une imprécision voulue qui permet à l'imagination de s'envoler, d'inventer. Après tout, la rime elle-même est un jeu entre deux mots de même sonorité.

On peut ainsi jouer avec les poètes sur le sens ou les sonorités *(Le ticket du toqué,* p. 176), et transformer l'*éléphant* en *éléphon* pour respecter la rime en *on* (p. 15). Les mots peuvent ainsi jouer entre eux *(Chanson de ferme,* p. 35). On peut utiliser tous les homonymes des *divers* sens de *ver, vers, vair, verre (Le Jardin,* p. 67), ceux de la *Météo* (p. 76), avec *l'air* et l'*r*, la *brise* et la *bise,* etc. On peut utiliser l'orthographe *(Jeux,* p. 102), ou les couleurs *(Vieux linges,* p. 179). On peut chercher ce qu'évoquent les *Prénoms prédestinés* (p. 162) avec *Leurs qualités* (p. 164). On peut se référer au vocabulaire de la poésie *(Sonnet sans fleurs ni couronnes* (p. 207) et *Épilogue,* p. 208).

On peut faire beaucoup de choses en jouant avec les mots. Et parfois même de la poésie.

31 Lipogramme

C'est un texte dans lequel on a décidé de ne pas employer une lettre, par jeu, par goût de la difficulté. Bien sûr, il est facile de ne pas employer des lettres peu fréquentes en français, comme le *w* ou le *z*. Il est plus amusant de se priver volontairement d'une lettre très fréquente comme le *e* (Dans *Disparition,* p. 215, c'est lui qui est cherché).

Quand on s'essaye à ce jeu, on voit qu'il n'est pas si facile.

Le *Lipogramme du loup* (p. 56) propose d'abord un premier petit poème « ordinaire » ; puis, sur le même sujet, un poème semblable mais sans *e* ; un autre encore, mais sans *i*. On peut continuer le jeu en se passant tour à tour des autres voyelles. Mais en français, impossible de se passer de toutes les voyelles à la fois !

32 Méli-mélo

C'est un beau mélange de tout et de n'importe quoi, au fond assez proche de la **fatrasie**, comme *la Merceuse* (p. 154), *Leurs qualités* (p. 164) ou *La guerre des noms composés* (p. 210) qui s'est plu à recomposer ces noms autrement.

33 Méthode M ± n

Sous ces lettres qui lui donnent un petit air savant, ce jeu est une variété du jeu d'un mot **pour un autre**. On prend un poème célèbre, et on remplace tous les mots qui ont un sens (les noms, les adjectifs, les verbes, par exemple), par un autre de même nature, choisi dans le dictionnaire suivant une formule convenue à l'avance. On prend, par exemple, le 6ᵉ verbe après chaque verbe, le 6ᵉ nom après chaque nom, etc. Ou le 5ᵉ. Ou le 7ᵉ. Au choix. Ce nouveau mot peut être situé dans le dictionnaire après le mot qu'on remplace (c'est ce que veut dire le signe +), ou avant (−).

On peut tricher un peu, sauter un mot ou un autre, etc. Mais on a, par exemple, la formule M + 7, ce qui veut dire qu'on a remplacé chaque mot par le 7e de même nature qui le suivait.

L'essentiel, c'est d'obtenir un nouveau poème, étrange, mais rappelant tout de même le modèle. Cette « méthode » a été mise au point par Jean Lescure et Raymond Queneau.

On en aura un exemple avec *Le Lourdeau et l'Agnostique* (p. 51) qui a changé suivant ce procédé les mots de la fable de La Fontaine *Le Loup et l'Agneau.*

34 Monorime

On dit que le poème est monorime quand il n'utilise qu'une seule et même rime, d'un bout à l'autre, pour tous les vers, comme *L'orchestre* (p. 16), *Monorimes d'avril* (p. 65), *Un petit rien* (p. 212).

35 Mot caché

C'est comme une devinette : dans le poème, on a caché un mot qu'il faut trouver. C'est parfois assez difficile. Les « oiseaux bleus » du *Mot caché* (p. 42) sont des *mésanges* qui apparaissent au vers 9 sous la forme « mes anges ». Mais c'est parfois assez facile. Le mot peut être caché par une tache malencontreuse, un « pâté », comme dans *Le poète et la...* (p. 199). Il s'agit de « la tache », bien entendu.

36 Mots croisés

Tout le monde connaît les « mots croisés » dont la plus ou moins grande difficulté vient des définitions des mots à trouver. On peut présenter ces définitions sous une forme versifiée, comme dans ceux de la page 204, dont les mots ont la propriété supplémentaire de pouvoir être lus dans les deux sens (ce sont des **palindromes**).

Pierre Coran

37 Mot-valise

C'est un mot qu'on a fabriqué avec deux mots différents, en mettant l'un dans l'autre (p. 19), comme le faisait l'auteur des *Aventures d'Alice,* Lewis Carroll.

38 Mystère

La poésie a toujours quelque chose d'un peu étrange : c'est un grand mystère que des mots tout à fait ordinaires se mettent à chanter quand on les a bien assemblés. Un poème suggère toujours plus que ce que « les mots veulent dire ». Il leur en fait dire davantage, comme le font *Gardez pour vous* (p. 81), ou *Et la neige* (p. 82).

39 Onomatopée

Une onomatopée, c'est un mot qui n'a pas de sens, mais qui peut en dire long, dont la sonorité évoque un bruit *(boum !)*, un cri *(ouille !)*, un chant d'oiseau qui *roucoule,* etc. On la trouve souvent dans les bandes dessinées, et parfois dans la poésie (p. 136).

40 Palindrome

C'est une phrase (ou un vers) qui a le même sens si on la lit normalement de gauche à droite – et si on la lit à l'envers, de droite à gauche, lettre par lettre. Il faut qu'on trouve un sens dans les deux sens. Ainsi les *Palindromes croisés* (p. 204). Dans *La fable* (p. 206), le dernier vers peut se lire dans les deux sens. On y fait mention d'Ésope dont La Fontaine s'inspira souvent et de l'écrivain Raymond Roussel (1877-1933), qui a expliqué comment il avait écrit certains de ses livres, par de savantes combinaisons.

41 Pantoum

C'est une forme poétique qui est d'origine malaise, qui devrait se dire *pantoun* (mais on recopie la même faute depuis un siècle et demi).

Le pantoum est composé de strophes de 4 vers (des quatrains) où s'emmêlent deux histoires différentes, deux thèmes parallèles. L'un se trouve dans les 2 premiers vers de chaque strophe ; l'autre dans les 2 derniers. Mais à chaque strophe nouvelle, on opère un glissement : les vers 2 et 4 deviennent les vers 1 et 3 de la suivante. Ce mode d'emploi a l'air un peu compliqué ; on comprendra mieux sa simplicité en lisant le *Pantoum* (p. 141).

42 Parodie

Dans la parodie, on se moque d'un poème célèbre en l'imitant, comme dans *Al Dente* (p. 213) qui reprend les premiers vers du célèbre poème de Gérard de Nerval, *El Desdichado,* en respectant les accents, le rythme, les sonorités. On peut comparer :

> *Je suis le ténébreux, le veuf l'inconsolé,*
> *Le prince d'Aquitaine à la tour abolie :*
> *Ma seule étoile est morte, et mon luth constellé*
> *Porte le soleil noir de la mélancolie. [...]*

Ce poème est une variation du procédé d'un mot **pour un autre**.

Le *Poème moderne* (p. 218) est une parodie de quelques sottises qu'on publie parfois en faisant croire qu'il s'agit de vrais poèmes – alors que c'est du charabia.

43 Pastiche

On imite un poème célèbre parce qu'on l'admire – et on ne s'en moque pas, ce qui est une différence essentielle d'avec la **parodie**.

Les *Fables* de La Fontaine étant très connues, leur pastiche est fréquent. Ainsi, *La Grenouille et la Cigale* (p. 53), *La Cigogne et le Renard* (p. 49), ou *La Bavarde et le Médecin* (p. 180).

Les estivants (p. 183) sont un parfait pastiche des *Conquérants* de José Maria de Heredia. On pourra comparer vers à vers :

Comme un vol de gerfauts hors du charnier natal,
Fatigués de porter leur misère hautaine,
De Palos de Moguer, routiers et capitaines
Partaient, ivres d'un rêve héroïque et brutal.

Ils allaient conquérir le fabuleux métal
Que Cipango mûrit dans ses mines lointaines,
Et les vents alizés inclinaient leurs antennes
Aux bords mystérieux du monde occidental.

Chaque soir, espérant des lendemains épiques
L'azur phosphorescent de la mer des Tropiques
Enchantait leur sommeil d'un mirage doré ;

Ou, penchés à l'avant des blanches caravelles,
Ils regardaient monter en un ciel ignoré
Du fond de l'Océan des étoiles nouvelles.

José Maria DE HEREDIA, *Les Trophées,* 1869.

44 Permutation

On change les mots de place, comme dans *La guerre des noms composés* (p. 210), ou des parties de vers, comme les hémistiches de *Plantes combinées* (p. 209). Les **poèmes carrés** constituent une autre méthode de permutation.

45 Personnification

La poésie attribue souvent à une chose, à un objet, les sentiments d'une personne. Ainsi le jardin de *La fleur* sourit au jeune visiteur (p. 10).

46 Poème carré

C'est un procédé inventé par Jean Lescure : on place quatre mots aux quatre angles d'un carré, et on les combine dans tous les sens (p. 205). On ajoute les petits « mots-outils » nécessaires au bon français (articles, prépositions, conjonctions, etc.). On prend garde à choisir des mots dont certains peuvent être considérés soit comme des noms soit comme des formes verbales. On s'aperçoit alors que la poésie naît souvent du « rapprochement inattendu de deux réalités éloignées » pour former une image, comme le préconisait Pierre Reverdy.

47 Poème en prose

On donne ce nom (bizarre quand on y réfléchit) à un petit texte en prose, très soigné, qui exprime une émotion, un sentiment, qui décrit un tableau – sans se soucier des vers, du nombre de syllabes, des rimes, etc. (*Rencontre*, p. 193).

48 Poème typographique

La typographie, c'est tout ce qui concerne la composition des pages d'un livre : le choix des lettres (caractères), leur grosseur, les traits, la disposition sur la page, etc.

On peut disposer ces lettres avec fantaisie, varier la place des mots, des vers, de tout l'ensemble du texte. La typographie fait alors partie du poème lui-même. Ainsi les *Animaux gonflables* (p. 17).

49 Pour un autre

On peut remplacer une partie d'un texte par une autre. On donne de la fantaisie à ce qu'on écrit. Parfois de la poésie. On peut changer :

• **Une lettre par une autre** – et voilà tout le poème devenant étrange, comme dans *Merceuse* (p. 154) ou *Alphabête* (p. 43) où les changements sont nombreux et toujours les mêmes. Dans ce poème, la lettre *p* est remplacée partout par la lettre *n*. On a de même remplacé *h* par *r, n* par *l ; s* par *b ; a* par *i ; d* par *t ; b* par *f ; o* par *a ; v* par *m ; c* par *p ; g* par *c ; e* par *u ; l* par *d ; r* par *v ; m* par *g ; f* par *z*. C'est assez compliqué, mais le résultat est bien amusant.

• **Une syllabe par une autre**, comme Do ré mi (p. 59).

• **Un mot par un autre.** Ce procédé peut être amusant et assez riche pour faire découvrir de nouveaux rapprochements. Dans *Chemin de fer et poésie* (p. 219), on a relevé diverses consignes données par la SNCF dans les wagons, on a remplacé certains mots par le mot « poème ». Des sens nouveaux apparaissent alors. Dans *Rencontre* (p. 193), on a remplacé des mots habituels par des termes de mathématique ; on comprend tout de même qu'il s'agit d'une rencontre pouvant faire naître de vifs sentiments entre deux personnes. **La méthode M + ou − n** appartient à cette catégorie. *La guerre des noms composés* (p. 210) appartient aussi à ce procédé, en remplaçant certains éléments des noms composés Avec *Groins valseurs* et *Poings passeurs* (p. 216 et 217), on a un exemple un peu différent : chaque mot est remplacé par un autre qui reprend le même rythme, les mêmes sonorités. C'est un système semblable qu'utilise *Al Dente* (p. 213).

50 Proverbe

C'est une petite phrase pleine de sagesse, qui donne un bon conseil ou constate une vérité de la société (p. 113).

51 Rébus

C'est un genre de devinette qui fait souvent appel au dessin pour reconnaître les syllabes d'un mot ou d'une phrase qu'il faut trouver.

Ici, le rébus fait appel à la place des mots les uns par rapport aux autres. Il faut bien regarder où ils se trouvent. Alors, le *Rébus des souris* (p. 23) se lit facilement. On remarque, par exemple, que *Les* se trouve placé sous *recettes* ; *que bien* est sur été. On peut alors lire :

> *Les souricettes, les souriceaux,*
> *Dansent en rond tout essoufflés,*
> *Sans soucis, bien en sûreté :*
> *Le souterrain est surveillé.*
> *Au loin s'entend un petit bruit :*
> *Le chat soudain s'est éveillé !*

52 Récit

Ce genre poétique a toujours existé : tout le monde aime entendre raconter une histoire. Ainsi celle de *La grande tournée* (p. 138) ou celle des *Deux ogres* (p. 189).

53 Rime

La rime sert à marquer la fin d'un vers : la dernière voyelle qui termine le dernier mot d'un vers donne une sonorité qui se retrouve à la fin d'un autre vers. On dit que deux vers riment ensemble lorsqu'ils ont ainsi la même sonorité : ainsi *sabre* et *cabre*.

Beaucoup de poèmes de ce livre riment. Et par exemple *Les jeux abandonnés* (p. 128). La rime peut aider à trouver la réponse d'une devinette, comme *Dans mon corbillon* (p. 203) où il faut retrouver successivement *tourbillon, hanneton, sillon, Cendrillon*.

On dit que la rime est « riche » quand elle comprend plus d'un élément semblable (au moins deux) ; la recherche de la rime riche peut être un jeu très amusant, comme le montrent *Les quatrains à rimes riches* (p. 181). Mais au XXe siècle, des poètes ont voulu s'échapper de ce système qui leur semblait monotone. Ils ont supprimé plus ou moins complètement les rimes, écrivant en « vers libres » *(Le jardin,* p. 67). En fait, vers rimés ou vers libres, le poème est monotone si le poète n'est pas fameux. Ce n'est pas le cas dans ce livre. D'autres systèmes sont possibles, comme les rimes **babebines.**

54 Rondeau

C'est une vieille forme poétique, datant du Moyen Âge, mais qu'on peut encore utiliser de nos jours avec succès. Le rondeau a suivi plusieurs règles. En général, il est en vers courts, groupés en 3 strophes, et on y répète une sorte de refrain. Ici, ce refrain, ce sont « les varans de Komodo », de drôles de bêtes, parentes du lézard, vivant dans l'île de Komodo, en Indonésie (p. 48).

55 Sextine

Cette forme poétique a été inventée au XIIIe siècle, et elle est assez compliquée. Une sextine comprend 6 strophes de 6 alexandrins (vers de 12 syllabes) et une demi-strophe (de 3 vers). Les 6 mots qui terminent les 6 vers de chaque strophe sont toujours les mêmes, mais ils n'apparaissent jamais à la même place. Ce système paraît difficile à suivre, mais il suffit de lire le poème *La sextine aux six lézards et six souris* (p. 185) pour le voir fonctionner et pouvoir s'en inspirer.

56 Tautogramme

Dans ce genre de texte, on n'emploie que des mots commençant par la même lettre. C'est un jeu assez difficile, car il faut essayer de garder un sens au poème, comme dans *Fortune* (p. 93), *Lecture* (p. 166), *Songeuse solitaire* (p. 179), *Merceuse* (p. 154) et *Mystère* (p. 158) où l'auteur a utilisé l'initiale de son nom.

57 Traduction

On lit un poème qui a un certain sens. En réalité, c'est la traduction d'un autre poème. On peut retrouver le poème caché en utilisant le lexique (un petit dictionnaire) qui est fourni. On découvre alors le poème d'origine *Le soir tranquille* (p. 110) cache *Le petit matin* (p. 111).

On peut aussi simplement utiliser quelques mots étrangers, comme dans *Poème sans fil* (p. 107). Dans la *Chanson du partage des langues* (p. 104), on reconnaît le mot *oiseau* en allemand, en italien, en chinois, en espagnol, en anglais, en grec, etc. De même pour *je suis* et pour *oui*.

58 Vers

Un vers, c'est une ligne d'un poème. On l'appelle ainsi, parce qu'à la fin on va à la ligne quand on écrit (en latin *versus* veut dire « tourner »). Par tradition, le début du vers est marqué par une majuscule. À la fin, on trouve une **rime** qui indique à l'oreille que le vers est terminé. Beaucoup de poèmes de ce livre sont rimés, par exemple, *Des animaux à deviner* (p. 34).

La longueur du vers est marquée par le nombre de syllabes. Quand les vers ont le même nombre de syllabes (la même longueur), sans être rimés, on les appelle « vers blancs ». On en trouve, par exemple dans *Est-il perdu ?* (p. 46).

59 Vers brisés

C'est un poème à secret. Quand on le lit, on lui trouve un certain sens. Mais si on le coupe en deux, si on brise les vers, on a deux poèmes pouvant avoir un sens très différent. Il faut, évidemment, que chacun des trois poèmes rime.

Si l'on coupe en deux, par le milieu, le poème si sage des *Bonnes résolutions* (p. 142), on découvre la vraie pensée de l'auteur dans deux poèmes qui la révèlent alors :

> *Toujours nous aimerons*
> *Le loisir et les jeux.*
> *Mes amis, méprisons*
> *Le pauvre besogneux.*
> *Soyons les compagnons*
> *Du flâneur qui repose.*
> *J'aime cette leçon :*
> *Ne pas faire grand-chose.*

*

> *Le travail et l'effort*
> *Sont choses détestables.*
> *Le paresseux qui dort,*
> *C'est l'homme respectable.*
> *Du noble travailleur,*
> *Il faut haïr le choix !*
> *Qui prône le labeur*
> *Est indigne de moi.*

60 Virelangue

C'est un jeu très amusant : on écrit un poème devant être dit à voix haute, et l'on y place des mots difficiles à prononcer sans s'emmêler la langue (*Le tapissier et le pâtissier*, p. 168). Bon courage !

Les poètes du jeu

ANCELET Daniel (Lyon, Rhône, 1942)

Dans la lignée des poètes fantaisistes, Daniel Ancelet écrit une poésie charmante et souriante, parfois teintée d'une légère mélancolie. Il reste attaché à la tradition d'une poésie qui sait faire chanter les vers : *Un Herbier sur le piano* (Pym, 1995) ; *Un Oiseau dans le cœur (id.,* 1997) ; *Le Miroir aux murmures* (*id.,* 1998).

192, 206[*].

BOCHOLIER Gérard (Clermont-Ferrand, Puy-de-Dôme, 1947)

Encore étudiant, Gérard Bocholier reçut le Prix Paul Valéry qui marqua son entrée en poésie. Il est aujourd'hui professeur de Lettres supérieures. Il dirige la revue de poésie *Arpa*. Sa poésie personnelle est riche d'un mystère qui atteint souvent le tragique, elle sait faire naître et vibrer les images : *Si petite planète* (Cheyne, 1989), *Secret des lieux* (Rougerie, 1990), *Chants de Lazare* (Arrière-pays, 1998).

53, 55.

---

[*] Les numéros renvoient aux pages de ce recueil.

BORDON Violette (Bourgoin-Jallieu, Isère, 1974)

Après une maîtrise de géologie, Violette Bordon a décidé de devenir institutrice, pour se consacrer à l'enfance. Ses poèmes ont été publiés dans des revues et dans des anthologies.

14, 166, 209.

BRUGÈS Daniel (Neuvéglise, Cantal, 1958)

Après avoir été instituteur, Daniel Brugès est conseiller pédagogique en Arts plastiques et animateur en milieu scolaire pour la poésie. À l'origine de diverses manifestations culturelles (*Foire du livre* de Ruynes-en-Margeride, *Foire aux métiers d'art* de Clavières, *Agrifolies* de Neuvéglise), il a créé la revue *Les Faiseurs de mots.* Il a publié une douzaine de recueils de poèmes (*Je connais un pays, La Maison d'enfance, Adagio pour un amour,* etc.).

37, 43, 47, 68, 205.

BRULET Gilles (Le Raincy, Seine-Saint-Denis, 1958)

Son manuscrit *Poèmes à l'air libre* a obtenu le Prix de Poésie pour la Jeunesse du Ministère de la Jeunesse et de la Maison de Poésie en 1995 (Hachette Jeunesse, « Fleurs d'encre »). Il travaille actuellement à la SNCF. Il a publié d'autres recueils, d'une poésie pleine de tendresse et d'invention : *Au chaud de toi* (Maison Rhodanienne, 1989), *Autre Véronique* (Encres vives, 1997), *Ce grand poème qui passe* (Épi de seigle, 1997).

64, 126.

BURINE Claude de (Saint-Léger-des-Vignes, Nièvre, 1931)

Après avoir été institutrice à Casablanca, Claude de Burine a vécu à Paris, à partir de 1958. Ses nombreux recueils lui ont valu une renommée justifiée et de nombreux Prix littéraires : *Le Passager* (La Bartavelle, 1993), *L'Arbre aux oiseaux (id.,* 1996), *Le Pilleur d'étoiles* (Gallimard, 1997). Sa poésie est l'une des plus riches, sa voix l'une des plus personnelles de notre temps.

81, 82, 130.

CAILLAUD Jacques (Rochefort, Charente-Maritime, 1953)

Ses poèmes ont été publiés en diverses revues et dans des anthologies. Photographe, il a exposé à Toulouse, La Rochelle, Paris. Il a réuni textes et photographies dans *Saintonge maritime, escale de lumière* (Jean-André Lecru, 1998).

76, 137.

CALONNE Michel (Grenoble, Isère, 1927)

Il a fait divers métiers (comédien, bibliothécaire, publicitaire), tout en écrivant des nouvelles, romans, pièces de théâtre, œuvres radiophoniques. Sa poésie est étincelante d'images qui suggèrent le mystère : *Un Silex à la mer* (Gallimard, 1992), *L'Arbre jongleur* (La Maison de Poésie, 1993).

216, 217.

CANUT Jacques (Auch, Gers, 1930)

Auteur d'une œuvre importante, Jacques Canut a publié une soixantaine de recueils, dont sept écrits en langue espagnole. Parmi ses plus récents ouvrages : *À fleur d'étoiles* (L'École des Loisirs), *Aquarêves* (Le Petit Véhicule), *Parades* (La Bartavelle).

102, 113, 127.

CHARPENTREAU Jacques (Les Sables d'Olonne, Vendée, 1928)

Directeur de la collection « Fleurs d'encre » (Hachette Jeunesse). Il a publié une vingtaine de recueils : *Poèmes pour peigner la girafe* (Gautier-Languereau, 1994), *Prête-moi ta plume* (« Fleurs d'encre », Hachette, 1990), *La Part des anges* (La Maison de Poésie, 1998).

10, 110, 111, 135.

CHÉNÉ Jean-Damien (Varades, Loire-Atlantique, 1946)

Son œuvre poétique comprend une demi-douzaine de recueils (*Le Facteur déménage*, Le Dé bleu, 1976 ; *Tous mes pas y ramènent,* La Rivière échappée, 1991) ; *Paysages, lieux : chez* (Le Dé bleu, 1999). Il a participé à plusieurs anthologies et revues, il a écrit de nombreux articles consacrés à des expositions d'art plastique.

134.

CLANCIER Sylvestre (Limoges, Haute-Vienne, 1946)

Ses études supérieures de philosophie l'ont amené à des recherches sur l'allégorie et le symbolisme. Éditeur pendant vingt ans, il enseigne la Littérature française à l'Université de Paris I. Il a publié un ouvrage de « politique-fiction », *Le Testament de Mao*, et divers recueils de poèmes : *Enfrance* (1994), *Le Présent composé* (Écrits des Forges-

Proverbes, 1996), *Guetteur d'Éternité* (Grand livre Namiki, 1998).
103, 114, 206.

CORAN Pierre (Mons, Belgique, 1934)
Directeur de l'École d'application de Mons, il a démissionné en 1980 pour se consacrer à l'écriture. Romancier et poète, il a reçu en 1989 le Prix de Poésie pour la Jeunesse du Ministère de la Jeunesse et des Sports et de la Maison de Poésie, avec *Jaffabules* (Hachette, Livre de Poche Jeunesse, « Fleurs d'encre », 1990). Fantaisie, humour et sensibilité se conjuguent dans sa poésie destinée aux jeunes lecteurs : *Direlire* (huit titres depuis 1985, Casterman), *Printemps d'artistes* (L'École des Loisirs), *L'Atelier de Poésie* (Casterman, 1999).
54, 204.

DERÈSE Anne-Marie (Franière, Belgique, 1938)
Elle a fait à Namur ses études secondaires, puis artistiques. Alors qu'elle était déjà mariée, mère de famille, elle a commencé à écrire en 1977, sous l'influence d'Andrée Sodenkamp et elle s'est révélée comme l'un des poètes les plus importants de la poésie française. Ses textes sont lyriques, frémissants, d'une poésie qui a un ton personnel : *La Nuit s'ouvre à l'orage* (Le Cherche Midi, 1990), *Le Secret des portes fermées* (Belfond, 1994), *Le Miel noir.*
32, 74, 133.

DESNOUES Lucienne (Lucienne Dietsch, dite) (Saint-Gratien, Val d'Oise, 1921)

Elle était secrétaire quand elle publia son premier recueil, *Jardin délivré,* en 1947. Elle fut alors encouragée par Colette. Depuis, elle a été reconnue comme l'un des poètes majeurs du XXe siècle. Sa versification, très classique, est celle d'une virtuose, mais elle n'abolit jamais sa vive sensibilité. Entre l'exubérance de la nature et les réalités quotidiennes de l'existence, elle goûte la vie, la saveur des mots et des choses. Elle évoque aussi bien la pâtisserie et la lessive que la garrigue provençale : *La Fraîche* (Gallimard, 1959), *Le Compotier* (Enfance heureuse, 1982), *Anthologie personnelle* (Actes Sud, 1998).

49, 156, 181.

DESPAX Jean-Luc (Lombez, Gers, 1968)
Alors qu'il était étudiant à l'Université de Toulouse, Jean-Luc Despax obtint le Prix Arthur Rimbaud réservé à un jeune poète. Après avoir enseigné en Espagne, il est devenu Professeur de Lettres en région parisienne. Sa poésie au ton direct est toujours musicale, ses images fortes n'excluent pas un discret humour : *Grains de beauté* (Maison de Poésie, 1991), *Équations à une inconnue (id.,* 1994).

107.

DESPERT Jehan (Versailles, Yvelines, 1921)
Auteur d'une œuvre importante de critique artistique, musicale et poétique, Jehan Despert est avant tout un poète. C'est sur sa suggestion que le département des Yvelines porte ce nom. Sa poésie est harmonieuse et riche

d'images : *Quartz* (Gerbert, 1988), *Gemmes (id.,* 1994), *Cloître mes bras (id.,* 1998).

30, 46.

DUPRAY Micheline (Marsainvilliers, Loiret, 1927)
Après avoir été enseignante, Micheline Dupray s'est consacrée à la création littéraire et son œuvre a été récompensée par de nombreux Prix. Sa poésie est d'une grande sensibilité : *Herzégovine* (1977), *Trains amers* (1981), *Crier l'absence* (1990).

180.

ÉTIENNE Marc (Le Perreux, Val-de-Marne, 1955)
Actuellement Directeur du marketing d'une grande firme, Marc Étienne écrit une poésie humoristique et tendre, dans une versification assouplie.

200, 212.

FRANÇOIS Nathalie (Orléans, Loiret, 1974)
Ingénieur à la Direction des Études et Recherches de l'EDF, Nathalie François a écrit des poèmes publiés dans des anthologies.

95, 193.

GARDERET Sylvaine (Eaubonne, Val d'Oise, 1975)
Achevant des études d'histoire à la Sorbonne, Sylvaine Garderet a écrit des poèmes qu'elle n'a pas encore publiés dans un recueil personnel, mais qui ont été remarqués lors de divers concours, dont celui de la Maison de Poésie, et publiés en anthologie.

155, 191.

GOYET Bertrand (Strasbourg, Bas-Rhin, 1975)

Élève de l'École Normale Supérieure, Bertrand Goyet est étudiant en philosophie. Ses poèmes ont été publiés en anthologie.

209.

GRUNDLER Dominique (Colmar, Haut-Rhin, 1972)

Après un baccalauréat littéraire et artistique, Dominique Grundler a obtenu le Prix Sabine-Sicaud (1996) et a publié ses poèmes en diverses anthologies.

101.

GUILBAUD Luce (Jard-sur-Mer, Vendée, 1941)

Elle a découvert lors d'un séjour en Guyane l'exotisme, le goût de la peinture, le plaisir d'enseigner. Elle est peintre et écrivain, professeur d'Arts plastiques. Sa poésie est d'une grande sensibilité, elle s'inspire de la nature, elle met en liaison la personne individuelle et les forces cosmiques : *Une Journée quelques mots simples* (Le Dé bleu, 1992), *La petite feuille aux yeux bleus (id.,* 1993), *Le Cœur antérieur (id,* 1998).

16, 18, 32, 46.

HALLER Claude (Nancy, Meurthe-et-Moselle, 1932)

Directeur d'École Normale, Inspecteur, en France métropolitaine et outre-mer, Claude Haller a publié des contes et des poèmes. Il a obtenu le Prix de Poésie pour la Jeunesse du Ministère de la Jeunesse et des Sports et de la Maison de Poésie pour son recueil *Poèmes du petit matin*

(Hachette, Le Livre de Poche Jeunesse, « Fleurs d'encre »,
1994).
17, 20, 202.

HURÉ Patrick (Fez, Maroc, 1956)
Instituteur en Bretagne, Patrick Huré est en contact avec
l'enfance et la jeunesse. Il a publié des poèmes (*Vestiaire
d'âme*, Saint-Germain-des-Prés, 1978) et des ouvrages péda-
gogiques en rapport avec la poésie : *Jeux de mots. Jeux de
doigts* (Centre départemental de documentation pédagogique, Côtes-d'Armor, 1993), *Éclats de rimes* (Centre régio-
nal de documentation pédagogique de la Bretagne, 1996).
91.

KARIM Zohra (Méthouia, Tunisie, 1970)
Titulaire d'une Maîtrise en Administration économique
et sociale, Zohra Karim a été lauréate du Prix Arthur Rimbaud, du Ministère de la Jeunesse et des Sports et de la Maison de Poésie, en 1995. Sa poésie est cocasse et tendre,
désinvolte et fougueuse, comme l'a montré le recueil col-
lectif *La Fleur de l'âge* (Maison de Poésie, 1996). Elle est
également l'auteur de pièces radiophoniques et de spectacles de théâtre.
59, 108, 178, 213.

KAYO Jean-Paul Caillaud, dit (Chef-Boutonne, Deux-
Sèvres, 1943)
Technicien des statistiques, Kayo écrit par ailleurs une
poésie amusante, jouant souvent sur les mots, et pratique
un humour au second degré très réjouissant.
42, 131.

KEMPENERS Robert (Charleroi, Belgique, 1928)

Ancien fonctionnaire, aquarelliste et poète, Robert Kempeners a publié un roman et des feuilletons. Ses poèmes ont été publiés en anthologies.

21, 56, 89, 194.

KIESEL Frédéric (Arlon, Belgique, 1923)

Docteur en droit, avocat puis journaliste, Frédéric Kiesel a fait de nombreux reportages à travers le monde. Ce grand voyageur connaît bien les pays lointains, mais sa poésie naît souvent de la simple observation au coin d'un champ, au bord d'une plage. Poésie du bonheur et de l'inquiétude, de la fragilité des jours, elle renvoie à des réalités intérieures : *Pâques sauvages* (Maison internationale de Poésie, 1974), *Nous sommes venus prendre des nouvelles des cerises* (Enfance heureuse, 1982), *L'autre regard* (L'Ardoisière, 1985).

65.

KŒNIG Claude (Dung, Doubs, 1939)

D'abord technicien, puis ingénieur aux usines automobiles de Sochaux, Claude Kœnig est aussi poète. Il a participé à des anthologies et publié ses poèmes en recueil (*Le Jardin sauvage*, 1991), avec un enregistrement d'une cassette de dix chansons *(Une nouvelle chanson)*.

26, 39, 128, 163.

LACROIX Marie-Hortense (Toulouse, Haute-Garonne, 1972)

Après des études supérieures dans une école d'ingénieurs à Grenoble, Marie-Hortense Lacroix a obtenu un

D.E.A. de sciences de la matière, tout en poursuivant des études musicales. Elle se consacre désormais entièrement à la musique et à l'écriture. Certains de ses poèmes ont été publiés en anthologies.

100, 161, 199 210.

LARPENT Isabelle (Chamalières, Puy-de-Dôme, 1972)
Étudiante en Maîtrise de Droit privé, Isabelle Larpent est également membre de l'orchestre universitaire. Elle a écrit des recueils non encore publiés. Elle a été lauréate du Prix Arthur Rimbaud 1995, du Ministère de la Jeunesse et des Sports et de la Maison de Poésie ; ses poèmes se trouvent dans l'anthologie *La fleur de l'âge* (La Maison de Poésie, 1996).

121, 177.

LA SOUJEOLE Claire de (Toulouse, Haute-Garonne)
Son œuvre poétique de grande qualité et d'une attachante sensibilité a été récompensée par de nombreux Prix littéraires. Sa poésie, d'une versification très classique, laisse toujours apparaître l'émotion et le frémissement de la passion : *Le Miel fait de lavande* (Le Miroir poétique, 1981), *Un Parfum de menthe sauvage* (*id.*, 1984), *Le Temps de vivre est le temps d'aimer* (La Maison de Poésie, 1944).

13, 15, 24, 120.

LAVAUR Michel-François (Saint-Martin-la-Méanne, 1935)
Ancien instituteur, Michel-François Lavaur a fondé la revue *Traces* qui, en plus de 130 numéros, a diffusé la poé-

sie. Sa poésie personnelle se trouve réunie en une vingtaine de recueils : *Il était midinette, La Grande Ourse, Anges.*

78, 132, 173.

LE CORDIER Roland (Asnières-sur-Seine, Hauts-de-Seine, 1912)

Après la guerre et le camp de prisonniers, Roland Le Cordier fut Directeur adjoint d'administration civile. Ses nombreux recueils ont reçu les plus hautes récompenses littéraires. Sa poésie, d'une exacte versification, est toujours sensible et mélodieuse : *Du cœur à vivre, Rhapsodies* (1958), *L'Ange du soir, Cette vie en péril* (1980), etc.

48, 176.

LE DIZET Jean-Louis (Paris, 1933)

Au cours d'une carrière consacrée à l'enseignement, Jean-Louis Le Dizet s'est attaché à promouvoir une pédagogie renouvelée de l'enseignement du français et il s'est intéressé à la liaison de la musique et de la poésie. Il a publié plusieurs recueils : *La Chanson du soldat* (Debresse, 1981), *Passe-Présent* (*id.*, 1983), *Écrit-métal* (1992).

22, 44, 51, 72, 149, 218.

LE GOUIC Gérard (Rédené, Finistère, 1936)

Après avoir vécu dix ans en Afrique équatoriale, Gérard Le Gouic a été marchand de souvenirs pendant trente ans à Quimper. Sa poésie, d'une forme libre, a un ton personnel : *Trois poèmes pour trois âges de l'eau, Les Sentiments obscurs, Le Marcheur de rêve.*

28, 93, 140, 192, 219.

LESTAVEL Jean (Malo-les-Bains, Nord. 1920)

Né en Flandre française, sur les rivages de la mer du Nord, Jean Lestavel a été influencé dans sa poésie par sa contrée natale. Il a travaillé à la formation des adultes et à l'animation à la vie associative. Sa poésie est sensible aux symboles d'un passage à partir de la réalité quotidienne vers une réalité plus haute, plus riche, vers un sacré toujours présent pour lui : *Départs* (La Maison de Poésie, 1992), *Les Arbres chantent* (*id.*, 1995), *Itinerance* (Arcam, 1998).

90, 99, 164, 171.

LEVAVASSEUR Lionel (Brétigny-sur-Orge, Essonne, 1971)

Ses poèmes n'ont pas encore été publiés dans un recueil personnel, mais ils ont été très remarqués lors du concours de la Maison de Poésie.

31, 138.

LORRAINE Bernard Diez, dit Bernard (Greux-Domrémy, Vosges, 1933)

Après avoir séjourné douze ans en Amérique latine où il travaillait pour les Alliances Françaises, Bernard Lorraine est revenu enseigner en France. Sa poésie, en de nombreux recueils, est forte, drue, parfois violente, toujours exacte, toujours soulevée par une indignation généreuse. Elle peut être pamphlétaire, mais aussi pleine de tendresse et de douceur. Il fait entendre une voix originale : *Le Temps comme il vient* (La Maison de Poésie, 1991), *Ombre du temps* (*id.*, 1995). *Chansons de la lune noire* (*id.*, 1998).

35, 94, 104, 143, 168.

MALAPLATE Jean (Perpignan, Pyrénées-Orientales, 1923)

Après une carrière diplomatique et financière, Jean Malaplate s'est consacré à la traduction (Byron, Hesse, Gœthe, Shakespeare, etc.) et à l'écriture poétique (*Bulles de savon,* Nouvelles éditions Debresse, 1963,1972 ; *Petite chronique du feu,* Les Moires, 1995).

34, 203.

MARTIN Michel (Villemer, Yonne, 1933)

Ancien cadre du commerce international, en particulier avec l'Afrique où il a résidé dix ans et qu'il a régulièrement sillonnée jusqu'en 1988, il est l'auteur d'une dizaine de recueils de poèmes, dont l'un fut préfacé par Maurice Fombeure, son ancien professeur à Lavoisier. Sa poésie, d'une remarquable richesse de vocabulaire, est toujours très mélodieuse : *Rassade* (Arcam, 1990), *Stridulation du Griot* (*id.*, 1995), *Taros sur table* (*id.,* 1998).

80, 162, 179.

MARTINEAU Mathilde (Paris, Seine, 1951)

Conservateur de la Bibliothèque de la Maison de Poésie, elle a publié un ouvrage sur Émile Blémont et la bohème littéraire et artistique des années 1870 (*Bonjour, Monsieur Blémont !*). Ses poèmes ont été publiés en diverses anthologies.

98, 154, 158, 165.

MÉNACHÉ (Lyon, Rhône, 1941)

La famille de Michel Ménassé est originaire de la communauté sépharade de Constantinople. Il est professeur de Lettres à Annecy. Il a été cofondateur du groupe et de la revue *Arpo 12* et de la revue *Impulsions*. Poète et chroniqueur, il aime créer des poèmes-objets insolites et fantasques. Sa poésie est toujours forte et originale : *Ascension du silence* (IÔ, Le Bibelot, 1992), *Célébration de l'œuf* (VR/SO, 1992), *Goudron de nuit* (IÔ, Le Bibelot, 1994).

207, 208.

MERCIER Jacques (Mouscron, Belgique, 1943)

Journaliste célèbre (magazines, radio, télévision), Jacques Mercier est un animateur de talent qui fait toujours une place à la poésie dans ses émissions ; sa poésie personnelle fait surgir de subtiles harmonies de mots et de sonorités : *Les Mots changent de couleur* (EVO-Pierre Zech, 1987) ; *D'un bleu illimité* (L'Arbre à paroles, 1994) ; *Tendresses d'Ibiza* (Tétra-Lyre, 1998).

79, 119.

MONNEREAU Michel (Cher, 1948)

Concepteur-rédacteur publicitaire, Michel Monnereau a publié une bonne dizaine de recueils (*Le Parti Pris d'en rire*, Rétro-Viseur, 1994 ; *Le Passeur de rives,* Froissart, 1995). Il a obtenu le Prix de Poésie pour la Jeunesse avec *Poèmes en herbe* (Milan, 1994).

25, 40, 83, 213.

MOREAU Jean-Luc (Tours, Indre-et-Loire, 1937)

Professeur à l'Institut des Langues orientales, Jean-Luc Moreau est un remarquable linguiste et ses traductions de poèmes sont bien connues. Sa poésie personnelle possède une grâce précieuse et rare : elle est transparente, tout en évoquant la nature, nos liens avec les forces cosmiques, en faisant appel à l'occasion à l'humour. C'est une poésie toujours savoureuse : *La Bride sur le cœur* (La Maison de Poésie, 1990), *Devinettes* (Hachette Jeunesse, 1991), *Poèmes de la souris verte* (Hachette, Le Livre de Poche Jeunesse, « Fleurs d'encre », 1992).

33, 60, 189.

NORAC Carl (Mons, Belgique, 1960)

Professeur de Littérature au Conservatoire royal de Mons, Carl Norac, amoureux de voyages, a parcouru le monde, des terres de l'Asie aux glaces de l'Arctique. Il a écrit une quinzaine de livres pour la jeunesse. Sa poésie a été reconnue dès son premier recueil, *le Maintien du désordre* (Caractères, 1990), « entre le lyrisme et un prosaïsme volontaire » : *Le Voyeur libre* (Les Éperonniers, 1995), *La Candeur* (La Différence, 1996).

27, 84, 160, 220, 221.

OLIVIER Jean (Paris, 1966)

Tourné vers le théâtre et la radio, Jean Olivier n'a pas abandonné la poésie et il a publié plusieurs recueils : *Le petit guide du poète martyr, Le Cahier des servitudes, Poèmes d'amour, de tristesse et de joie.*

69, 169, 188.

ORIZET Jean (Marseille, Bouches-du-Rhône, 1937)

Poète, écrivain et critique. Son œuvre est traduite en dix-huit langues. Il a publié une vingtaine de recueils de poèmes : *Poèmes* (Le Cherche Midi, 1990), *Hommes continuels* (Belfond, 1994), *La Poussière d'Adam* (Le Cherche Midi, 1997), etc. Il est également l'auteur de plusieurs anthologies, dont *L'Anthologie de la Poésie française* (Larousse, 1988 et 1996).

183.

POITEVIN Jacques (Sonzay, Indre-et-Loire, 1935)

Enseignant, puis Inspecteur de l'Éducation Nationale, Jacques Poitevin s'est intéressé à la musique (*Paroles et musique*, Nouveaux Cahiers de jeunesse, 1967 ; *La Chouette de Renou,* Conte musical, Musique d'Y. Desportes, Van de Velde, 1981) et à la *poésie (Suite pour un solstice,* Temps parallèle, 1977). Son recueil *L'Escargot à plumes* a obtenu le Prix de Poésie pour la Jeunesse en 1998.

66, 86.

PRÉVOST Noël (Saint-Hilaire, Vendée, 1928)

Spécialiste de la littérature pasticcienne qu'il a fréquemment traduite, Noël Prévost est l'auteur de nombreux recueils d'une poésie furtive et d'une rare discrétion (*Les ombres s'allongent et le jour se meurt,* Crépuscule, 1950 ; *Le poème et ses doubles,* Parod, 1980).

23, 121, 142, 179.

PRZYBOROWSKI Maxence (Colmar, Haut-Rhin, 1977)

Poursuivant des études supérieures, il a écrit des nouvelles (qui ont été récompensées par un prix) et des poèmes, également primés, non encore publiés mais remarqués par la Maison de Poésie.

112, 184.

RESSE-MAREST Sylvain (Fécamp, Seine-Maritime, 1972)

Après des études d'art et de philosophie, il participe à diverses actions culturelles, tout en écrivant des poèmes qui n'ont pas encore été publiés dans un recueil personnel, mais qui ont été remarqués lors du concours de la Maison de Poésie.

96, 167, 198.

ROBILLARD Chantal (Langeac, Haute-Loire, 1949)

Conservateur en chef de bibliothèque, conseiller pour la lecture (Alsace), Chantal Robillard a écrit des contes en vers et en prose pour la jeunesse : *Les sept fins de Blanche-Neige* (Verger, 1996), *La Fontaine aux fées* (*id,* 1999).

185.

SADELER Joël (Le Mans, Sarthe, 1938)

Professeur et animateur de poésie, Joël Sadeler a publié dans de nombreuses revues, ses poèmes ont été mis en musique par bien des compositeurs. Sa poésie est allègre, parfois cocasse, mais elle dénonce à l'occasion la lâcheté, la laideur, la violence, le racisme, avec une légèreté efficace : *Le Nœud coulant* (L'Épi de seigle, 1995), *À battre la semelle* (Soc et Foc, 1998). Son recueil *L'Enfant partagé* (Le Dé bleu, 1998) a reçu lé Prix de Poésie pour la Jeunesse. Il se veut « une sorte d'épicurien de la poésie qui invite volontiers petits et grands à partager les plaisirs des mots à sa table ».

70, 92, 97, 197.

SIMONOMIS Jacques (Paris, Seine, 1940)
Travaillant dans l'administration des Postes, Jacques Simonomis a publié une vingtaine de recueils, prose ou poésie : *Mon siècle en deux* (L'Arbre à paroles, 1993), *Un Âne sur le toit* (La Bartavelle, 1995). Il écrit des textes qui ne sont pas dépourvus d'un humour tonique. Il a fondé et il dirige la revue *Le Cri d'os*.

36, 106, 118, 190.

SODENKAMP Andrée (Bruxelles, Belgique, 1906)
D'origine hollandaise par son père, elle se plaît à remarquer qu'elle eut une aïeule tzigane. Orpheline à sept ans, son oncle devint son tuteur, mais il fut tué à la guerre en 1918. Elle devint professeur (1928), puis inspectrice des Bibliothèques publiques en Belgique (1959-1971). Elle ne commença à écrire qu'assez tard, mais la force et la simplicité de sa poésie la firent immédiatement reconnaître comme un grand poète de l'amour. Sa poésie est toujours restée à la fois simple et pathétique : *Les Dieux obscurs* (Édition des Artistes, Bruxelles, 1958), *Femmes des longs matins* (De Rache, 1965), *C'est au feu que je pardonne* (*id.*, 1984), *Poèmes choisis* (Académie de Belgique, 1998).

67, 187.

SPACCESI Marc (Marseille, Bouches-du-Rhône, 1956)
Infirmier, Marc Spaccesi a publié divers recueils de poèmes (*Les dangereux voyages,* 1979 ; *L'Ombre sauvage,* 1982).
124.

TESSON Stéphanie (Paris)
Passant de l'écriture à la mise en scène théâtrale, Stéphanie Tesson a créé des spectacles poétiques : *Cœur de laitue* (1998), *Madame Faribole* (1998).
41, 141, 144, 153, 214.

VIGNEAU Robert (Saint-Laurent-du-Var, Alpes-Maritimes, 1933)
Enseignant, puis homme de théâtre, Robert Vigneau a passé une grande partie de sa vie à l'étranger, surtout en Asie, où il a écrit et travaillé pour la scène, la radio, la télévision. Il vit actuellement à Paris. Il a publié plusieurs recueils de poèmes : *Cartes indiennes* (La Main d'Hélène, 1975), *Bucolique* (Gallimard, 1979), *Botaniques* (Éolienne, 1997).
19, 71, 117, 122, 145.

VILLIA-CHANTRIE Claudette (Ronceraille-sur-Mer, Vendée, 1948)
Peintre et sculpteur, Claudette Villia-Chantrie a utilisé en ses techniques mixtes les ressources les plus hardies de l'art d'aujourd'hui. La même diversité se retrouve dans sa poésie, qui va du classicisme aux audaces du « non-art » contemporain (*L'Ouvre-tête multiple,* La Carnu, 1985 ;

Roue-boat, id., 1992 ; *Le Nain port-Koua,* Claragazouille, 1998).

62, 85, 215.

VUAILLAT Jean (Lyon, Rhône, 1915)

Ordonné prêtre en 1940, Jean Vuaillat a été maître de chapelle de la Basilique de Fourvière, puis de celle de Sainte-Thérèse à Lisieux, curé de plusieurs paroisses ; il est actuellement chanoine de la Primatiale Saint-Jean de Lyon. Il dirige la revue d'inspiration chrétienne *Laudes.* Sa poésie, riche de spiritualité, est aussi d'une grande humanité ; elle est toujours harmonieuse. De nombreux Prix l'ont couronnée.

146.

WILWERTH Évelyne (Spa, Belgique, 1947)

Ayant quitté l'enseignement pour se consacrer totalement à l'écriture, Évelyne Wilwerth est auteur de nouvelles, d'essais, d'œuvres dramatiques pour le théâtre et la radio ; elle est rédactrice pour la jeunesse. Elle a publié plusieurs recueils de poèmes : *Le Cerfeuil émeraude* (De Rache, 1981) ; *Neige de boule* (L'Arbre à paroles, 1989) ; *Dessine-moi les quatre éléments (id.,* 1993).

77, 123, 136, 159, 175.

Table des poèmes

DE DRÔLES DE BÊTES

POUR TOUS LES TEMPS

VOYAGES ET PAYSAGES

LES ENFANTS SAGES ET LES AUTRES

DE DRÔLES DE GENS

LES POÈTES ET LEUR POÉSIE

*

PAPIER À BASE DE
FIBRES CERTIFIÉES

Le Livre de Poche s'engage pour
l'environnement en réduisant
l'empreinte carbone de ses livres.
Celle de cet exemplaire est de :
300 g éq. CO$_2$
Rendez-vous sur
www.livredepoche-durable.fr

« Pour l'éditeur, le principe est d'utiliser des papiers composés de fibres naturelles, renouvelables, recyclables et fabriquées à partir de bois issus de forêts qui adoptent un système d'aménagement durable. En outre, l'éditeur attend de ses fournisseurs de papier qu'ils s'inscrivent dans une démarche de certification environnementale reconnue. »

Édité par la Librairie Générale Française - LPJ
(58 rue de Jean Bleuzen, 92170 Vanves)

Composition Jouve
Achevé d'imprimer en Espagne par Liberdúplex
Sant Llorenç d'Hortons (Barcelone)
Dépôt légal 1re publication janvier 2015
83.5563.9/07 - ISBN : 978-2-01-220220-7
Loi n° 49-956 du 16 juillet 1949 sur les publications destinées à la jeunesse
Dépôt légal : août 2021